여자들을 위한 심리학

일러두기

이 책에 나오는 모든 사례는 많은 여성이 겪는 문제를 유형화한 것입니다. 사례 속 이름과 내용은 실제 인물과 무관합니다.

여자들을 위한 심리학

자꾸만 나를 잃어가는 것처럼 느껴질 때

반유화
(정신건강의학과 전문의) 지음

다산초당

여자라서 겪어야 하는 일들에 마음이 자주 지치는 당신에게

세상은 정말 빠르게 변하는 것 같으면서도, 어떤 때는 한없이 느리게 움직이는 것만 같습니다. 그리고 여러분의 주변에는 다양한 사람이 존재합니다. 결혼 생활의 어려움을 털어놓으면서도 결혼하지 않은 사람을 은근히 무시하는 친구, 자격지심을 드러내는 애인, 딸을 감정 쓰레기통으로 대하는 엄마, 딸 바보지만 집안일은 하지 않는 아빠, 여성혐오 이슈를 묵인하는 상사…. 이 책은 그 속에서 오늘을 살아가는 여성들을 위한 책입니다. 가족과의 갈등이나 직장 동료, 연인, 친구와 겪는 문제, 결혼과 나이 듦, 외모에 대한 고민 등 여성의 일상과 밀접한 주제 열두 가지를 다루고 있습니다.

이 책을 읽을 한 사람, 한 사람에게 직접 말을 거는 마음으로 썼습니다. 다른 사람 그리고 외부 세계와의 관계에서 불편을 느끼고 고민하다가도 "그러는 나는 얼마나 완벽한 사람인가?"라는 자기 의심으로 돌아오기를 반복하는 모든 이에게 이 책을 권하고 싶습니다.

자신의 말과 행동을 곱씹으며 "내가 뭐라고 그 자리에서 앞뒤 안 가리고 욱했지?" 또는 "그 상황에서 왜 바보처럼 아무 말도 못했지?"라며 자신을 몰아붙일 때가 있습니다. 이는 아이에게 어떤 속상한 사정이 있었는지는 살피지 않은 채 "그런다고 친구를 때리면 쓰니?", "왜 너는 바보같이 맞고만 있었어?"라며 야단치는 어른을 떠올리게 합니다. 그 어른이 아이를 대하는 것처럼 우리는 우리 자신을 쉽게 비난하고 의심합니다.

이 책이 그런 자기 의심을 자신에 대한 호기심과 이해로 바꾸고, 온전한 나로 살아가는 데 도움이 될 수 있다면 좋겠습니다. 어떻게 세상을 바라보고, 어떤 마음가짐으로 살아갈지에 대한 실용적인 단서를 제공할 수 있다면 더없이 기쁠 것 같습니다.

진료실에 찾아오는 분들을 더 잘 이해하기 위해 저는 개인과 세계 사이에서 무슨 일이 일어나고, 어떤 고통이 발생하며, 그 고통은 어떤 의미를 지니는지 탐색해야 했습니다. 그 노력의 일환으로 여성학을 공부하였고, 무척 도움이 되었습니다. 이 책은 노력의 또 다른 결과물입니다.

공부하는 과정에서 정신의학(특히 정신분석)과 여성학에는 중요한 공통점이 있다고 느꼈습니다. 바로 '당연한 것을 당연하게 여기지 않는 태도'입니다. 정신분석에서는 "사는 게 다 그런 거지."라는 말로 정리되거나, 사회에서 미덕으로 여기는 것을 그냥 넘기지 않고 왜 그런 마음이 들고, 그런 행동을 하는지 물음표를 던집니다. '왜 어떤 사람은 다른 사람을 흔쾌히 도우면서, 정작 자신은 다른 사람에게 도움을 요청하지 못할까?', '왜 어떤 사람은 자신의 부모보다 더 나은 삶을 사는 데 죄책감을 느낄까?' 같은 질문이 그 예입니다.

여성학에서도 사회에서 자연스럽게 여기는 것들에 질문합니다. 가정은 정말 우리에게 휴식처인지, 음식점에서는 왜 이모라는 호칭만 있고 삼촌은 없는지, 왜 남성이 육아휴직을 쓰는 일은 모험이 되어야 하는 것인지 말이죠.

이런 질문에 대한 답을 찾아나가는 과정은 험난하지만, 그 과정에서 점차 이해할 수 있는 것이 늘어가고 다룰 수 있는 것도 늘어나게 됩니다. 이렇게 자기 자신에 대해서도 끊임없이 질문하면서 스스로가 납득할 수 있는 답을 찾아나간다면, 결과적으로 자신에 대한 가장 정확한 이해와 공감을 얻을 수 있으리라 확신합니다. 그 모든 과정을 응원하면서, 이 책이 여러분에게 조금이나마 힘이 될 수 있기를 바랍니다.

2021년 4월

반유화 드림

차례

들어가는 말 여자라서 겪어야 하는 일들에 마음이 자주 지치는 당신에게 • 004

1부 나를 의심하지 않기로 했다

chapter 1 결혼을 꼭 해야 하는 건가요 • 014

매일 숙제하듯 살아왔다면 • 020

인생은 패키지가 아니다 • 025

chapter 2 직장 상사에게 실망했어요 • 038

평면이 아닌 입체로 바라보기 • 042

타인의 진심에 매달리지 마라 • 049

chapter 3 친구들과 대화가 안 통해요 • 058

당신이 친구와 멀어진 진짜 이유 • 063

관계를 유지하는 적당한 거리 • 071

Chapter 4 거절을 못 하겠어요 • 076

갈등을 두려워하는 사람들 • 080

내 감정은 나의 것, 네 감정은 너의 것 • 088

chapter 5 친구가 낯설어요 • 096

불편한 것은 불편한 것이다 • 100

관계에 임시 보관함이 필요한 이유 • 107

chapter 6 착한 아이 콤플렉스에서 벗어나고 싶어요 • 112

가족이 상처를 준다면 • 116

착한 사람의 딜레마 • 120

내 몫의 거절 분량을 채울 것 • 125

2부 이상과 현실 사이에서 나만의 온도를 찾아가는 법

chapter 7 **남동생과 차별하는 엄마가 미워요** • 134

무조건적인 관계는 없다, 그것이 엄마일지라도 • 139

엄마의 시대와 딸의 시대가 만났을 때 • 142

자신이 할 수 있는 것들 • 148

chapter 8 **일상이 불편해졌어요** • 154

이전으로 돌아가지 못해도 괜찮아 • 159

내 감정을 있는 그대로 바라보는 법 • 164

chapter 9 **내 안에 내가 너무도 많아요** • 170

달팽이가 되어버린 이유 • 174

자신만의 생각을 이어갈 것 • 177

구구절절 해명하지 마라 • 183

초자아 다독이기 • 188

chapter 10 **꾸밀 때 눈치가 보여요** • 192

꾸밈에 대한 이중적인 생각들 • 197

코르셋에서 탈코르셋으로 • 202

혼란을 반가워하자 • 207

수치심을 대하는 방법 • 213

chapter 11 **남자친구가 저를 질투해요** • 218

관계를 결정하는 여러 가지 조건 • 223

나의 기분을 존중할 것 • 232

chapter 12 **친구 같은 아빠에게 자꾸 불만이 생겨요** • 238

나는 정말 불만투성이인가? • 242

성평등은 지금, 기본값인가? • 249

참고한 자료들 • 252

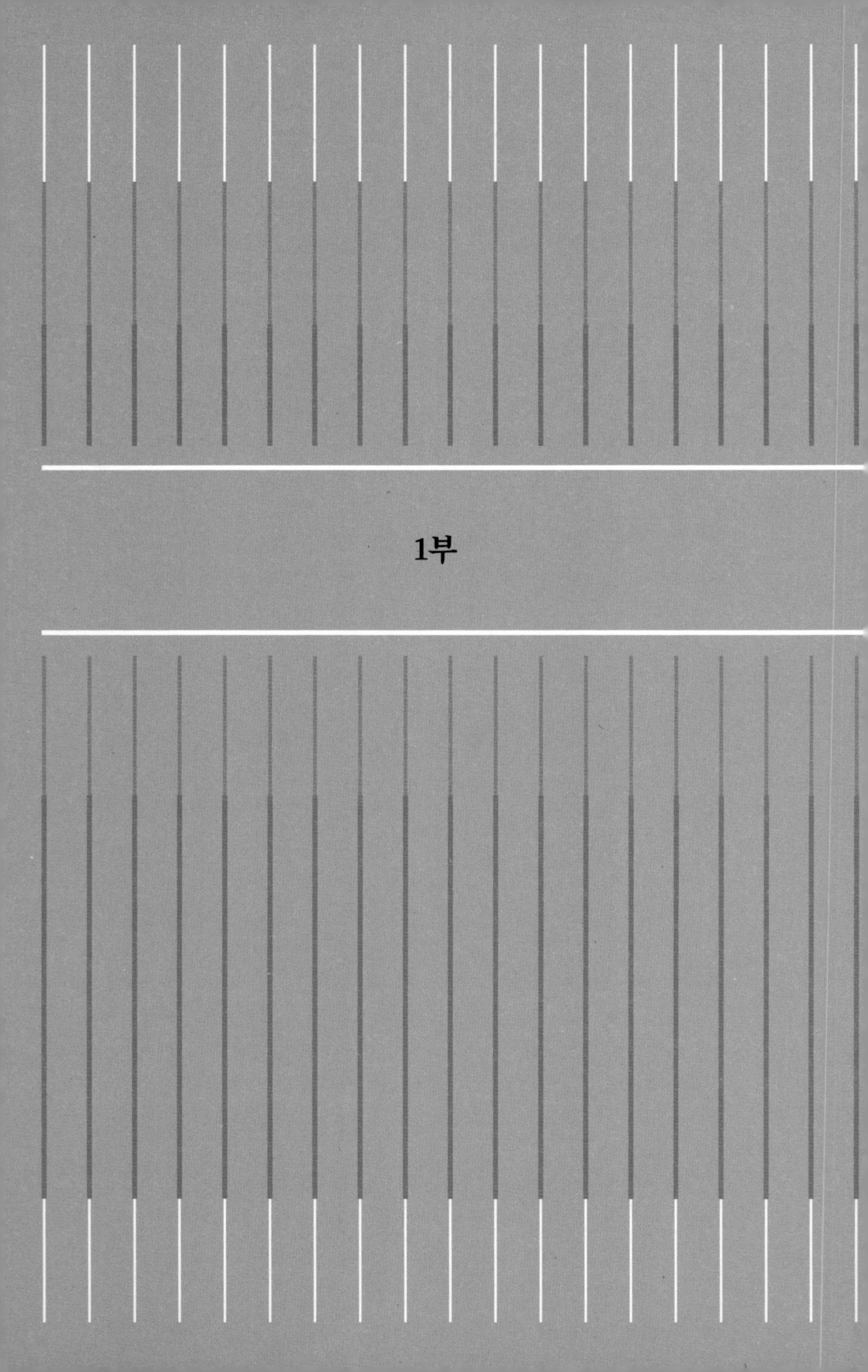

1부

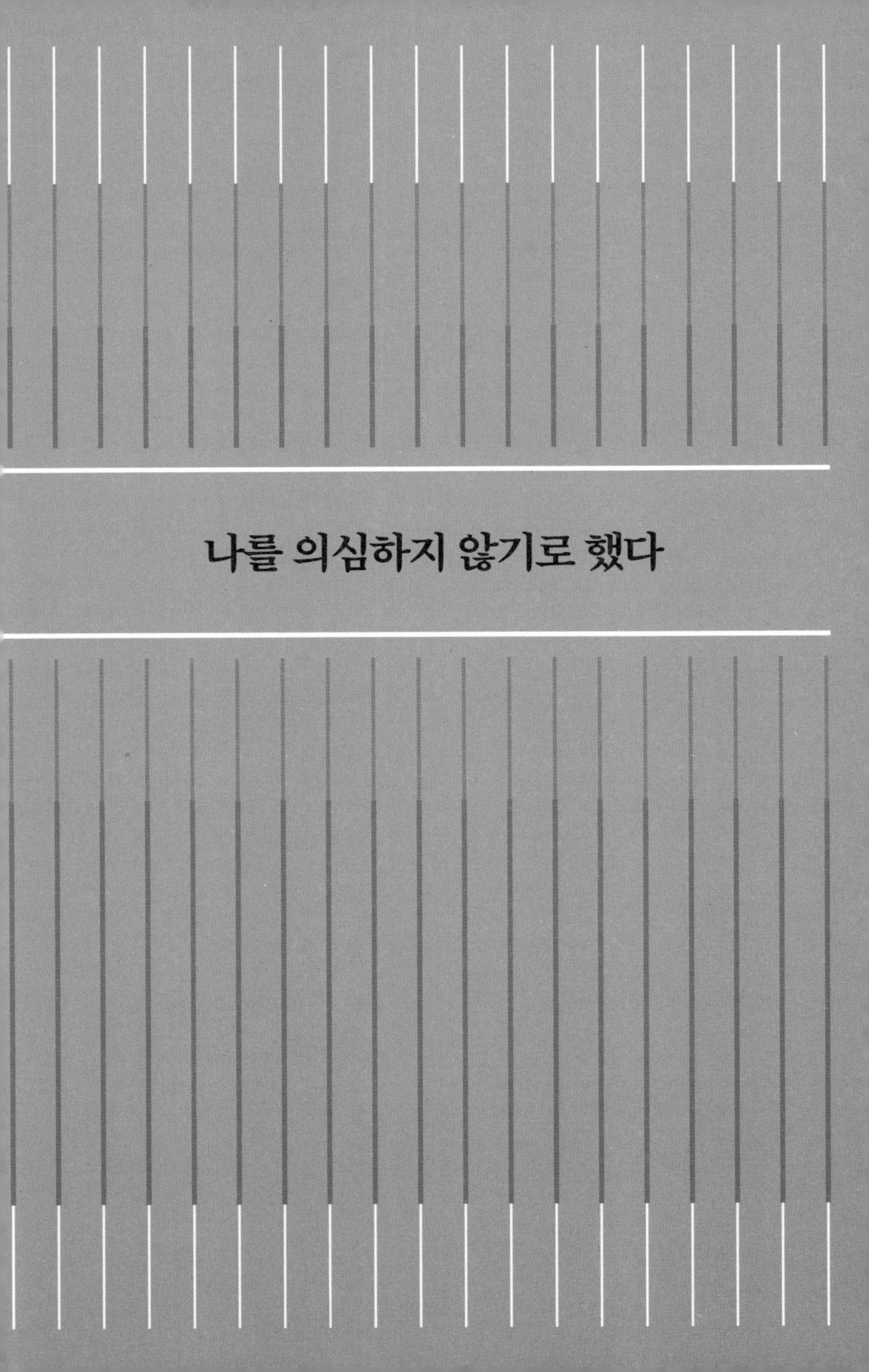

나를 의심하지 않기로 했다

결혼을 꼭 해야 하는 건가요

준희 씨는 책임감이 강하고 싫은 소리를 듣기 싫어해서, 맡은 일은 무슨 일이 있어도 심지어는 몸이 심하게 아파도 어떻게든 해내는 스타일이다. 지금까지 살아온 삶 역시 대학 진학부터 취업까지 평균적인 궤도를 벗어난 적이 없다. 누군가에게는 설레기만 한 여행, 첫 출근, 연애 같은 것도 준희 씨에게는 그 나이에 꼭 해야 하는 목록 중 하나일 뿐이었다. 하고 싶은 것이 아닌 해야 하는 것으로만 채워진 준희 씨의 삶에서 그때그때의 나이란 늘 마감일 같은 것이었다.

취업도 졸업 전에 해서 경력을 차곡차곡 쌓아나가는 중이다. 교수님이나 과 조교가 더 좋은 자리가 있을 테니 서두르지 않아도 된다고 했지만 졸업 전까지 입사해야 마음이 놓일 것 같아 그렇게 했다. 더 높은 목표보다 자신이 원하는 타이밍에 와준 것들로 삶을 채워나갔다.

그러던 중 준희 씨는 올해 서른이 되었다. 그런데 새해 첫날 느꼈던 불안감이 계속 이어지고 있다. 바로 결혼 문제 때문이다. 지금까지 처리해왔던 많은 일처럼, 이제 결혼이라는 목록이 눈앞에 성큼 다가왔지만, 이번만큼은 타이밍에 맞춰 퀘스트를 깨는 것이 망설여진다. 여태 부모님을 한 번도 실망시켜 본 적이 없기에 부모님은 슬슬 초조함을 내비치며 결혼에 대한 생각을 묻거나, 지인의 자녀를 소개시켜 주고 싶어 한다. 준희 씨는 그런 부모님에게 짜증을 내다가도 미안한 마음이 들어 자주 기분이 왔다 갔다 한다.

"제게 결혼은 속박이라는 느낌이 들어요. 지금까지는 저 혼자 노력하면 되는 것들이었는데, 결혼은 혼자 하는 게 아니잖아요. 배우자와 그 가족 친척들까지 다 감당해야 할 것만 같고, 여자인 저에게 기대하는 역할이 있을 텐데…. 그런 생각을 하면 답답해져요. 연애할 때 결혼 얘기가 나온 적도 있었는데, 그때마다 '얘도 나한테 현모양처 이런 걸 기대하면 어떡하지?'라는 마음에 불안해하다가 결국 잘 안됐어요."

결혼식을 진행하는 방식도 썩 마음에 들지 않는다.

"친구들 결혼식장에 가면 신부는 다소곳하게 대기실에 앉아 있고, 아버지 손을 잡고 입장하잖아요. 누가 뒤에서 들어주지 않으면 혼자 움직일 수도 없는 화려한 드레스를 입고서요. 그런 장면을 볼 때마다 숨이 막혀요."

준희 씨는 부모님처럼 살고 싶지 않은 것인지, 부모님처럼 살 자신이 없는 것인지도 잘 모르겠다.

"성인이 돼서야 제가 운 좋은 환경에서 자랐다는 걸 알았어요. 아빠는 회사에서 매일 야근하면서 충분한 돈을 벌어다 주셨고, 전업주부인 엄마는 단 한 끼도 대충 챙겨주신 적이 없어요. 여행도 다니고, 겨울이면 스키를 타고, 어릴 때 피아노랑 바이올린도 꾸준히 배우고…. 자라오면서 제가 받아왔던 것들이 정말 큰 혜택이었다는 생각이 이제야 들어요."

어찌어찌 결혼을 해서 아이를 낳아도, 자신이 받았던 풍요로움을 아이에게 줄 수 있을까 걱정이 된다.

"요즘 같은 시대에 부모님이 제게 주신 것만큼 아이에게 해줄 자신이 없어요. 부모님은 저희 덕분에 행복하셨다지만, 두 분 다 희생하며 쉼 없이 달리셨고, 고단해 보였어요. 나는 우리 엄마처럼 아이만 바라보고 살 수 있을까? 회사도 다니고 싶은데, 그러면 시간을 나노 단위로 쪼개 쓰는 선배들처럼 슈퍼우먼으로 살아야 하나? 그게 내가 바라던 삶이 맞나? 집안일과 아이 키우는 게 오롯이 내 몫이 되면 어떡하지? 혹시 자신이 전업주부 생활을 해도 괜찮거나, 직장이 있더라도 집안일에 나랑 동등하게 신경 쓸 배우자를 만날 가능성은 있을까?"

지금까지 남들보다 뒤처진 느낌을 경험한 적 없던 준희 씨는 다른 사람들에게 결혼하지 않는 이유를 설명해야 하는 상황이 낯설고 어딘지 모르게 거부감이 든다.

"늘 쫓기면서 살았던 것 같아요. 정해진 때에 남들이 하는 걸 나도 해야 하고, 만약 그걸 해내지 못하면 실패자가 된다고 생각했어요. '대학은?', '졸업반인데 면접은?' 여태까지 이런 질문을 받았을 때 길게 부연 설명하고 싶지 않았어요. 이제 '결혼은?'이라는 질문을 서서히 받기 시작했고요. 결혼하고 나면 '아이는?'이라는 질문도 받게 되겠죠."

앞으로 어떻게 나이 들어갈지에 대한 불안도 크다.

"결혼을 하지 않으면 남은 삶을 어떻게 살아갈지 상상이 잘 안 가거든요. 주변에 참고할 만한 사람이 별로 없어요. 결혼한 선배 언니들도 마냥 행복한 것 같지는 않고, 행복해 보이는 사람이 있기도 하지만 제가 추구하는 행복과는 멀어 보이고요."

준희 씨는 이 외로운 세상에서, 수많은 타인보다는 훨씬 더 나와 가깝다고 분명히 말할 수 있을 만한 사람과 함께 살기를 원한다. 그리고 그 사람이 적어도 언제 갑자기 떠날지 몰라 불안한 존재는 아니었으면 좋겠다.

매일 숙제하듯 살아왔다면

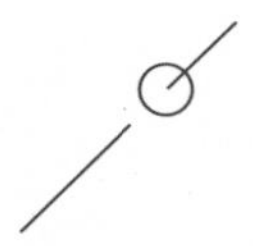

인생 과업을 '제때' 완수하지 않으면 늘 불안했던 준희 씨가 서른이 되면서 앞으로의 삶과 결혼에 대해 머리 아픈 고민을 시작했다니 참 다행입니다. 마음에서 준희 씨에게 이런 시그널을 준 것이지요. '앞으로는 지금까지 하던 대로 휩쓸려서 그냥 살다가는 후회할 거야. 이쯤에서 생각을 정리해 보는 게 좋을 거야.' 설사 준희 씨가 지금껏 살아온 대로 행동해도 인생이 당장 끝나는 건 아닙니다. 나중에 돌아보았을 때 속상하고 후회가 되면, 그 상황에 맞는 최선의 미래를 또 궁리해도 되는 것이니까요. 하지만 미리 알아차릴수록 치러야 하는 심리적, 물리적 비용이 줄어듭니다.

신중한 건 좋은 겁니다. 결정을 피하고 대책 없이 미루는 것과는 다르죠. 신중함이라는 탈을 쓴 회피를 하지 않으려면 본인 마음에 대해 치열하게 고민하는 과정을 거쳐야 합니다. 준희 씨에게 울린 시그널이 자신을 직면하는 계기가 되기를 바랍니다.

성과와 각본의 함정

사회의 변화는 개인의 변화를 따라가지 못합니다. 그래서 개인이 변화를 시작하면 사회에서 처음에는 'ㅇㅇ현상'이라는 이름을 붙이기도 하죠. 취업이 늦어지거나 해야 할 결혼을 안 하고 있다고 말하며 특정 기준에서 벗어난 문제 상황처럼 여기기도 합니다. 그럴 때 '내가 문제인가?'하고 고민하지 않고 조금만 지나면 그 변화는 어느새 특별할 것 없는 일상이 된다는 것을 알 수 있습니다.

N포 세대라는 단어가 유행한 적이 있습니다. 포기라는 단어에는 모두가 마땅히 그것을 원할 것이라는 전제가 깔려있는데요. 이 단어를 통해 대부분의 사람들은 젊은이들의 포기 이유를 사회에서 찾습니다. 물론 맞습니다. 그러나 취업, 연

애, 결혼, 자녀 계획을 매우 원하지만 사회 또는 경제적 이유로 하지 못하는 경우와 이런 일이 더는 의무라고 생각하지 않는 경우를 구별할 필요는 있습니다.

스무 살이 되면 성장이 끝난다고 말하는 시대는 지났어요. 수명이 늘어나면서 공부해야 하는 기간도 늘어났고, 노동시장에 안정적으로 진입할 수 있는 나이도 이전보다 늦어졌죠. 이에 따라 심리 발달 단계도 달라졌어요. 그래서 최근에는 20대를 성인모색기(emerging adulthood)라고 부릅니다.[1] 예전처럼 스무 살이 되자마자 성인의 역할을 바로 이행하는 것이 아니라, 진정한 성인이 되어가는 과정을 거치는 것이죠.

우리는 나이가 들어서도 계속 성장할 거예요. 과거와 비교하면 지금 우리의 속도가 늦은 것처럼 보이지만 현재의 맥락에서 자연스러운 속도입니다. 그런데도 주변 사람들의 시선 때문에 조급한 마음을 갖고 섣불리 인생 과업을 수행해버리면, 나중에 후회하고 바로잡는 데에 더 많은 품이 들 수 있습니다.

부모님의 영향을 받으며 성장한 준희 씨는 인생을 '성과와 각본'대로만 살아온 것 같습니다. 성과란 취업이나 결혼, 자녀 계획 같은 결과물이고 각본은 사회가 그 나이의 그 성별에게 기대하는 삶의 방식이나 역할 같은 것이죠.

여자 나이는 크리스마스 케이크여서 스물네 살에 제일 값어치가 높고, 스물여섯 살이 되는 순간 가치가 절반 이하로 뚝 떨어진다는 농담이 자주 사용되던 때가 있었어요. 성차별에 나이 차별까지 더해진 이 표현을 통해 당시의 사회상을 짐작할 수 있습니다. 당시는 많은 이가 이런 표현들의 영향을 받았고 사회화된 불안을 얻었습니다. 나이를 먹는 건 개인이지만, 그 나이의 그릇, 역할, 감수성을 결정하는 주체는 사회이기 때문입니다. 사회가 각각의 나이에 대한 감수성을 개인에게 심어줬고 그래서 자기 나이에 맞는 자신만의 자격이나 역할, 정서를 스스로 결정하기 어려웠습니다.

그러다 한 사람, 한 사람씩 개인 사정으로, 또는 자기 의지로 선을 넘기 시작했습니다. 결과적으로 아무 큰일도 일어나지 않았지요. 이처럼 우리가 선을 넘어도 생각보다 별일이 일어나지 않다는 걸 알았으면 해요.

사회 역시 처음에는 선을 넘는 걸 문제 삼는 것처럼 보이다가, 나중에는 언제 그랬냐는 듯 슬그머니 받아들이는 날이 올 겁니다. 여자 나이를 케이크에 비유한 위의 농담도 이제는 그런 말을 하는 이가 시대 착오적인 사람으로 느껴지는 것처럼요. 그러니 사회의 시선에 너무 속지 않았으면 해요.

그때그때의 나이에 내가 하고 싶은 일을 하자고요. 이게 자기 자신을 있는 그대로 포용하기 위해 필요한 첫 번째 과정입니다.

인생은 패키지가 아니다

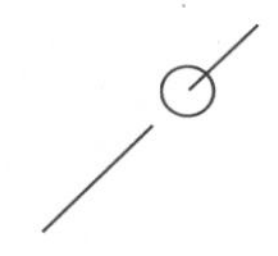

삶을 기획할 때는 가장 먼저 내가 원하는 게 무엇인지를 파악해야 합니다. 무언가를 원하지만 장벽이 있어 체념하는 것인지, 아니면 그 일이 하기 싫은 것인지를 구별하는 일은 쉽지 않아요. 하지만 현재보다 더 나은 삶을 살려면 이 두 가지를 구별하기 위해 지속적으로 노력해야 합니다.

삶에는 여전히 제약이 많지만 과거에 비하면 비교적 자유가 늘어났습니다. 그리 오래되지 않은 과거에도 결혼은 옵션이라기보다는 경제적 생존의 어려움이나 사회적 낙인을 피하기 위해 어떻게든 거쳐야 하는 필수 관문이었습니다. 하지만 지금은 결혼을 해야 할지 말아야 할지 고민할 수 있게 되었어요. 준희 씨처럼 말이죠. 이렇게 된 건 한 사람, 한 사람이 사회가 정한 선을 넘었던 덕분입니다. 그들의 용기와 노력 덕분에 새싹처럼 자라난 자유를 잘 키워나가면 좋겠습니다.

자신이 원하는 게 무엇인지 파악하려면 세분화 작업을 해야 합니다. 세상은 보통 개인이 할 일들을 패키지로 제안하는데, 그것을 전부 다 받아들일 필요는 없습니다. 예를 들어 결혼이 싫다는 생각이 들었을 때, 그 안에 너무 많은 의미가 담겨있기에 구체적으로 무엇이 좋고 무엇이 싫은지 판단하기 어려워 혼란스러울 수 있습니다.

누군가와 함께 사는 것이 싫은 건지, 되돌리기 어려운 계약을 하기가 싫은 건지, 가족이라는 경제적 · 심리적 공동체를 만들기가 싫은 건지, 책임이 늘어나는 것이 싫은 건지, 누군가에게 의존하거나 반대로 누군가가 내게 의존하는 것이 싫은 건지, 결혼한 여성에게 기대하는 성 역할, 즉 동등하지 못한 가사, 양육, 며느리로서의 의무를 부여받는 게 싫은 건지, 자녀를 갖기가 싫은 건지.

이렇게 결혼이라는 단어를 잘게 나누어 따로따로 생각하다 보면 내가 원하는 것과 두려워하는 것이 좀 더 선명해집니다. 과거에는 결혼을 하면 반드시 해야 하는 것들이 정해져 있었는데, 이제는 점차 취할 것은 취하고 거부할 것은 거부할 수 있는 여지가 조금씩 생기고 있어요.

직업, 인간관계, 여가, 가족 꾸리기 등도 점차 그렇게 되고 있습니다. 예를 들어, 취미 활동을 위해 모임에 나간다면 반드시 뒤풀이에 참석하여 친목을 도모하지 않아도 되는 것처럼요. 사회가 개인의 욕구를 다소 늦게 반영하기에 이런 선택을 할 때 종종 걸림돌을 만나기도 하겠지만, 모든 것을 지레 포기하지 않았으면 좋겠습니다.

준희 씨는 일단 누군가와 상대적으로 안정적인 가족을 이루고 싶다는 소망까지는 확인했습니다. 생각보다 많은 사람이 친밀한 사람과 가족을 꾸리고 싶다는 소망을 갖고 있어요. 어떤 방식으로 가족을 꾸릴지, 자녀는 가지고 싶은데 자신이 없는 것인지, 아니면 가지고 싶지 않은 것인지 등. 앞으로 준희 씨가 고민할 부분이 많이 남아 있네요.

나만의 새로운 각본을 써나가려면

내가 무엇을 원하고, 무엇을 싫어하며, 무엇을 견딜 수 있고, 무엇을 견딜 수 없는지 등을 들여다볼 때 모든 것을 일시

정지시킨 상태에서 고민만 하라는 얘기는 아닙니다. 크고 중요한 결정은 신중히 하되, 가치관에 대한 고민과 조금씩 삶을 조립해나가는 시도를 동시에 진행할 수 있지요. 물론 인생 방향을 정할 때 많은 사람이 선택하는 플롯을 고르는 것보다 새로운 각본을 써나가는 데 더 큰 모험이 따릅니다. 그래도 점차 다양한 선택지와 가능성이 생기고, 자신의 새로운 길을 하나의 모델처럼 보여주는 사람들도 생겨나고 있으니 힘을 내보면 좋겠습니다. 그들이 보여주는 새로운 길이 결코 완벽하지는 않을 겁니다. 그러나 이런 삶의 방식도 있다는 걸 아는 것만으로도 우리는 용기를 얻을 수 있습니다.

요즘은 인터넷을 통해 손쉽게 정보를 구할 수 있고, 각자의 삶도 소셜 네트워크 서비스(이하 SNS)에 많이 드러냅니다. 그러니 많은 정보를 통해 다양한 삶의 방식을 간접 경험해보는 것을 추천합니다. 이러한 과정을 경험하며 불안을 줄이고, 마음속에 품고 있던 추상적인 바람을 실현한 사람을 보면서 가능성을 발견할 수도 있습니다. 지금 이 시기는 과도기예요. 기존 방식이 여전히 우리 삶에 많은 영향을 주고 있지만, 대안이 없는 것은 아닌 그런 시기이지요.

비슷한 관심을 공유하는 사람들을 만나보는 것도 도움이 됩니다. 보통 학교, 직장, 주거지를 중심으로 알게 된 사람은 비슷한 특성을 가지고 있을 확률이 높습니다. 그러다 보면 주변의 방식만을 정답이라고 여길 수도 있죠. 원래 알고 지내던 사람들을 벗어나서 다양한 주제의 소모임, 스터디 등에도 참여하면서 적극적으로 미래를 설계해보세요.

롤 모델을 찾는 것도 좋습니다. 위인전에 나올 법한 사람일 필요는 없어요. 롤 모델을 머리끝부터 발끝까지 그대로 따라 할 필요도 없고요. 내게 유용하고 도움이 될 만한 점을 조금이라도 갖고 있으면 됩니다. 반대로 타산지석으로 삼을 만한 롤 모델도 괜찮습니다.

요즘은 가족의 정의에 대해 끊임없이 새로운 질문이 나오는 시기죠. 전통적인 가족도 있지만, 가까운 친구들과 이웃해 지내는 경우도 있습니다. 아니면 1인 가족을 꾸릴 수도 있지요. 다만 당부하고 싶은 것은, 그것을 가족이라 부르든 그렇게 부르지 않든, 끈끈한 네트워크든 느슨한 네트워크든, 같이 살든 아니든, 유대감을 느낄 수 있는 누군가와의 관계를 유지하는 일은 삶에서 늘 중요하게 다뤄져야 한다는 사실입니다.

혹시 새로운 인생 각본을 고민하는 과정에서 누군가를 실망시키기 싫어 고민이 되나요? 결론부터 말하자면, 그럴 땐 빨리 실망시킬수록 좋습니다. 여태 가족을 포함한 주변인에게 좋은 사람으로 살다가 갑자기 실망시키는 건 어려운 일이겠죠. 하지만 늦었다고 생각할 때가 제일 빠른 때라는 걸 명심하세요.

선택은 늘 어렵습니다. 자신이 선택하지 않은 길 위에 있는 빵을 포기해야 하기에 후회나 미련은 필연적으로 따라오지요. 그것을 줄이기 위해서는 한 가지 방법밖에 없습니다. 자신이 선택한 길 위에 빵을 더 많이 만들어 자신이 놓친 길을 뒤돌아보지 않도록 하는 거죠.

결혼을 고민한다면

결혼이라는 카드를 만지작거리고 있다면, 결혼 후 얻을 수 있는 이득과 손해를 고려해야 합니다. 예비 배우자와 각자 절대로 포기할 수 없는 조건에 대해서도 심도 있게 고민해야 합니다. 경제적 관점이든, 심리적 관점이든 결혼을 해도 이것만은 누릴 수 있겠다는 마음을 갖는 게 가장 중요합니다.

자신이 무엇을 원하고 무엇을 견디기 힘들어하는지 모르면 자신이 가장 원하는 것 하나마저도 누리지 못하는 결혼 생활을 할 확률이 높습니다. 남들이 결혼하기 좋은 때라고 말하는 나이에, 남들이 중요하다고 생각하는 조건 열 개를 만족하지만 '나의 최우선 조건'이 누락된 결혼 생활은 어떤 모습일지를 상상해보았으면 합니다.

결혼을 하든 하지 않든 다른 사람들은 결코 당신의 인생을 책임져주지 않는다는 점을 기억했으면 좋겠어요. 매일 배우자와 살아갈 사람은 나 자신입니다. 자신의 선택이 부모님이나 주변 사람들에게 인정받거나 그들을 만족시키기 위한 것은 아닌지 한 번 더 생각해보세요. 나중에 후회해도 결국 자신의 선택이었기 때문에 더욱 억울하기만 합니다. 인정받거나 실망시키지 않으려는 마음, 누군가를 위해서라는 마음에는 반드시 보상심리가 따르거든요. 철저히 자신을 위한 선택을 하세요.

결혼을 선택했다면 정신을 바짝 차려야 합니다. 자칫하면 결혼에 따라오는 모든 것들을 하나의 패키지로 받아들여야 할 수도 있거든요. 어떤 면에서는 결혼하지 않고 인생의 새로운 각본을 쓰는 일보다 더 어려울 일일 수도 있습니다. '어어' 하는 사이에 컨베이어벨트를 타고 자신이 원하지 않는 곳에 도착할 수 있기 때문입니다.

새로운 각본을 쓸 때는 새로운 상황에 닥칠 때마다 스스로 생각하는 시간이 많을 테니 그만큼 본인의 의지대로 선택할 수 있는 것이 많겠지요. 하지만 결혼을 선택하면 '뭐 어떻게든 되겠지.', '나는 그렇게 살지 않을 수 있겠지.'라는 막연한 생각을 하다가 '내가 원한 게 이런 건 아니었는데… 어디서부터 이렇게 된 거지?'라는 후회가 남을 수 있습니다.

일방적인 가치관을 그대로 갖고 있으면서도 가치관에 대한 협상 의사가 조금도 없는 배우자, 또는 배우자를 둘러싼 환경을 마주하면서도 '뭐 사람은 좋으니까.', '어떻게든 되겠지.'라고 생각하는 건 후회로 가는 지름길입니다.

이쯤에서 결혼을 하기로 결정했다면 반드시 확인해야 할 것들을 알려드리고 싶습니다. 가장 먼저, 상대가 나의 가치관을 허락해주는 사람이 아닌 나와 한 팀이 될 수 있는 사람인지 확인하세요. 그리고 팀 안에 다른 사람(부모님, 친구들, 익명의 타인 등)을 넣지 않을 만한 사람인지 곰곰이 생각해봐야 합니다. 다른 말로 하면, 성인으로서 자신이 새로 구성할 가족과의 유대를 가장 우선적으로 생각하는지, 그리고 자신의 과거 양육자와 적절한 분리가 되어 있는지를 확인하는 과정입니다.

양육자와 적절히 분리되어 있는지를 알 수 있는 방법은 상대가 부모의 행동에 지나치게 불안해하거나 책임감을 느끼는지, 그리고 그것을 스스로 해결하지 못하고 배우자인 나에게 무언가를 요구하거나 책임을 전가하는지를 알아보면 됩니다.

사실 이 질문들은 상대보다 나 자신에게 먼저 던져야 합니다. 여러분은 배우자보다 부모를 훨씬 더 친근하게 여기지는 않나요? 배우자를 내 뜻대로, 그리고 내 부모님의 뜻대로만 하려고 하지는 않나요?

또한 자신이 추구하는 삶의 방향과 가치관이 (약간의 불편함을 주더라도) 궁극적으로 우리 팀을 더 행복하게 해줄 수 있을 것이라고 생각하나요? 여러분은 마지막 질문에 명쾌하게 '예'라고 대답할 수 있어야 합니다.

결혼을 준비하는 자세

결혼을 준비할 때 모든 과정을 타인에게 설명할 필요는 없습니다. 하지만 자신은 무엇이 어떻게 돌아가는지 알고 있어야 합니다. '남들도 하는데 이 정도는 해야지.', 또는 '이렇게 하면 절대 안 돼.'라고만 생각하지는 마세요. 완벽하지 못해도 괜찮습니다. 현재의 한계와 가능성을 있는 그대로 인정하세요.

결혼을 준비하고, 결혼 생활을 하는 동안 주변에서 여러 제약이 있을 텐데 그때마다 우리는 어떻게 해야 할까요? 경우에 따라 자신의 입장을 일찌감치 선언하고 관철시키려 할 수 있겠지요. 하지만 때로는 자신이 원하는 대로 밀고 나가면서도 아무렇지 않은 듯 행동하는 것도 좋은 방법입니다.

입장을 먼저 선언한다는 것은 아이러니하게도 주변의 '예', 또는 '아니오'라는 대답을 듣겠다는 뜻이 될 수 있는데, 그러면 굳이 허락을 구하지 않아도 되는 일에 허락을 구하는 모양새가 되어버릴 수가 있기 때문입니다. 물론 그 과정에서 자신 때문에 타인이 언짢아지는 일이 생길 수도 있습니다. 그러나 그 언짢음을 견디는 힘도 필요합니다.

또한 모든 것을 내가 원하는 대로 할 수는 없지만, 중요하게 여기는 한두 가지조차 존중받지 못한다면 앞으로도 비슷한 일이 반복될 거라는 점을 염두에 두어야 합니다. '이번엔 넘기지만 앞으로는 괜찮겠지.'라는 생각은 통하지 않습니다. 조율하는 과정에서 서로를 존중하는지와 타인들로부터 적절히 분리되어 있는지를 자연스럽게 알 수 있을 거예요. 지금까지 설명한 것을 한눈에 파악할 수 있는 사례를 하나 소개하겠습니다.

지민 씨는 얼마 전 결혼 준비를 시작했습니다. 아이는 가지지 않기로 배우자와 결정하였고, 함께 조율해가며 자신의 의사를 최대한 반영했죠.

“각자의 친지들에게는 각자의 이름이 먼저 새겨진 청첩장을 돌리고 싶었어요. 그런데 청첩장 샘플이 모두 신랑 이름부터 적게 되어 있어서 놀랐어요. 요즘 시대에? 문구를 바꾸는 옵션은 있는데 왜 이름 순서를 바꾸는 옵션은 없는지 의아했어요.”

“고민이 되었겠네요. 그래서 어떻게 하기로 했어요?”

“신랑 칸에 제 이름을 넣고, 신부 칸에 예비 남편 이름을 넣어서 인쇄했더니 감쪽같더라고요. 하하”

“남자 쪽은 신랑 이름이, 지민 씨 쪽은 지민 씨 이름이 먼저 나오는 청첩장을 무사히 만들었군요!”

“아직 갈 길이 먼데 청첩장을 만드는 일에서부터 현실의 벽을 느꼈지만, 그래도.”

“그래도 잘 해내고 있네요.”

이후 지민 씨는 저에게 어떻게 결혼식을 마쳤는지 알려주었습니다.

지민 씨의 결혼식

- 신부 이름, 신랑 이름이 각각 먼저 새겨진 청첩장 인쇄하기 (양, 군 수식어 빼기)
- 도우미의 손길이 필요 없는 예복 입기
- 신랑과 함께 밖에서 하객 맞이하기
- 신부 먼저 단독 입장 후 신랑 단독 입장
- 사회, 주례, 촬영기사는 여성으로 하기 (축가는 신랑의 절친이 함)
- 바지 정장에 단화를 신고 피로연장 인사 다니기
- 부케 던지는 순서는 없음 (결혼은 의무나 협박이 아니니까)

누군가가 보기에는 새로울 수 있고 누군가가 보기에는 부족한 점이 있을 수도 있습니다. 지민 씨는 현실의 한계를 인정하면서도 건강한 독립성을 추구했습니다. 결혼은 하나의 의례로서 독립적인 공동체의 탄생을 선언하는 자리이기도 합니다. 지민 씨는 신부의 아버지가 사위에게 자신의 딸을 건네는 장면이 제1양육자(부모님)에게서 제2양육자(신랑)로의 이행처럼 보인다고 했어요.

도우미 없이는 걸음을 옮기기 어려운 드레스 역시 독립성과는 거리가 멀어 보여 발목까지 오는 드레스를 선택했습니다. 이것은 지민 씨가 선택한 방식이지요. 이렇게 자신의 행복과 행복을 위해 무엇을 취하고 무엇을 내려놓을지에 대한 고민은 많이 하면 할수록 좋습니다.

직장 상사에게 실망했어요

"내가 과장님 의견과 다른 제안을 하면, 'ㅇㅇ씨가 시집 못 가는 이유를 알겠네.' 이러는 거야. 어이가 없어서… 그래 놓고는 농담도 못 하냐면서 나를 예민한 사람으로 몰고 가. 정말 짜증 나."

회사 생활 2년 차인 지우 씨는 다른 회사에 다니는 친구들의 이런 성토를 들으며 자신은 운이 좋은 편이라고 생각했다. 친구들은 남자 상사의 성차별 발언에 하루가 멀다 하고 스트레스를 받는데, 지우 씨의 팀장은 불편한 발언을 한 적이 없기 때문이다.

회식 자리에서도 여자 직원이 나이 많은 남자 상사에게 불쾌한 말을 듣지 않도록 적절히 자리 배치를 하는 식으로 배려해주기도 하고, 다른 팀에서는 암묵적으로 여성 직원들이 하는 커피 심부름도 각자의 커피는 각자가 타서 먹도록 공지하기도 했다.

지우 씨는 '팀장님은 여느 꼰대랑은 다르구나. 깨어 있는 사람이야.'라고 생각하며 편하고 고마운 마음으로 팀장을 대했다.

그런데 최근 지우 씨는 회사에서 출시하는 새 제품의 광고 모델을 정하는 과정에서 크게 실망하게 되었다. SNS에 "한마디도 안 지려는 기 센 여자는 매력이 없다."라는 글을 업로드해 구설수에 올랐던 남자 연예인이 모델로 내정되었는데, 지우 씨가 모델 변경을 건의해보자고 팀장에게 말했다가 단번에 거절당했기 때문이다.

"광고 단가도 잘 맞고, 윗선에서도 아주 마음에 들어 하는 사람이야. 대중에게 인기도 많잖아. 하나하나 다 트집 잡기 시작하면 쓸 수 있는 사람이 없어. 미안하지만 나는 이 이상은 나서기가 어렵네."

'내가 알던 팀장이 맞나? 그동안 자신이 보스인 상황에서는 개념 있는 것처럼 굴더니, 윗사람한테 밉보일 것 같으니까 나 몰라라 하는 건가?'

지우 씨는 이제껏 내가 사람을 잘못 봤던 건가 싶으면서도 한편으로는, '개념 있다고 생각한 팀장님도 내 제안을 거절하다니, 내가 너무 예민했나?' 하는 생각이 들며 스스로를 의심하기 시작했다. 생각은 꼬리에 꼬리를 물다가 결국

에는 어떤 이가 광고 모델이 되는지보다 팀장의 진짜 마음을 알고 싶다는 생각이 커졌다.

미안하다는 말은 진심이었을까? 그리고 팀장이 내 생각에 동의하지만 상부에 보고하기가 부담스러운 것인지, 아니면 내 의견에 아예 공감을 못 하는 건지, 그것만이라도 알고 싶었다. 이대로 가면 팀장님을 신뢰하던 마음에 금이 갈 것만 같아 자꾸만 확인하려 한다.

평면이 아닌 입체로 바라보기

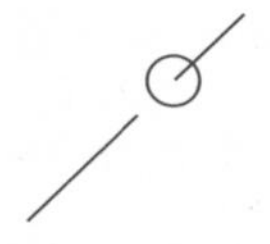

처음에 지우 씨에게는 어떤 사람이 광고 모델로 서게 될지가 매우 중요해 보였는데요. 마지막에는 광고 모델보다는 팀장님의 진짜 마음을 더 궁금해하는 것처럼 느껴지네요. 이 사연의 실타래를 풀어가려면 팀장님의 진심을 알고 싶어 하는 지우 씨의 마음을 잘 살펴봐야 합니다. 지금 지우 씨는 팀장님에게 실망하지 않으려고 갖은 애를 쓰고 있는 것처럼 보이지 않나요? 팀장님의 진심이 지우 씨에게 어떤 의미이기에 이렇게까지 애를 쓰고 있는 걸까요?

먼저 팀장님이 어떤 사람인지 설명이 필요할 것 같네요. 팀장님은 여자 직원을 배려하는 등 굉장히 상식적인 모습을 보이면서도 무언가를 무리해서 무릅쓰는 사람은 아니라는 걸 알 수 있어요. 여태 자신이 결정권을 쥐고 있을 때만 다른 사람을 위해 배려한 것이죠.

여기서 중요한 건 그동안 팀장님이 지우 씨에게 해온 행동이 대단한 은혜가 아니라는 점입니다. 친구들이 토로하는 각박한 현실과 대비되어 지우 씨에게는 팀장의 면모가 특별한 의미로 다가온 거겠지요. 이런 대비는 종종 어떤 사람을 실제보다 더 대단한 사람으로 느끼게 합니다. 그러다가 시간이 지나 그 사람의 실제 모습과 맞닥뜨리면 그땐 오히려 더 나쁜 사람으로 평가합니다.

한 가지 다행스러운 건 지우 씨가 크나큰 실망을 했지만 그 실망이라는 감정이 자기 자신에게 파괴적인 행동으로 이어지지는 않았다는 점입니다. 사람들은 자신이 중요하게 생각하는 무언가에 분노를 느끼면 고통스러운 나머지, 미래의 자신이 아쉬워할 만한 행동을 할 때가 많습니다. 시간이 지난 뒤 '굳이 눈앞에서 그렇게까지 따질 필요는 없었는데….', '그때 회식 자리를 박차고 나오는 건 아니었는데…'와 같은 생각을 하게 될 때가 있죠. 때로는 아직 준비가 되지 않은 상태에서 사직서를 내버리고 나중에 후회하는 경우도 있고요.

실망의 정량과 대상 항상성

한 사람 안에는 선한 부분과 그렇지 못한 부분, 성숙한 부분과 미숙한 부분, 강한 부분과 약한 부분 등이 공존합니다. 그리고 이 사실을 마음 깊이 깨달을 수 있는 심리 상태를 대상 항상성(object constancy)이라고 말합니다. 이는 아이가 태어나고 자라면서 자연스럽게 얻게 됩니다. 양육자가 자신을 만족시킬 때는 좋은 사람으로 인식하고 만족시키지 못할 때는 나쁜 사람으로 인식하는 것이 아니라, 양육자 한 사람 안에 좋은 면도 있고 나쁜 면도 있다고 여기는 능력이죠.

우리 모두 대상 항상성을 어느 정도 가지고 있지만 개인에 따라 차이는 있습니다. 또 한 개인도 그때그때의 상태에 따라 대상 항상성의 힘을 온전히 발휘하기 힘들 때도 있습니다. 예를 들어 부정적인 감정에 휩싸여 있는 상태이거나 컨디션이 좋지 못할 때, 또는 본인이 중요하게 생각하는 주제와 깊은 관련이 있을 때처럼요.

평소 잘 지내던 상대가 갑자기 기분 나쁜 말을 해서 그 전까지 나눈 좋은 시간이나 마음이 싹 잊힐 때가 있지 않나요? 우리는 때때로 가장 나중에 알게 된 모습이 그 사람의 진짜 모습이라고 생각합니다. 내내 퉁명스럽고 불친절하던 사람이 어느 날 다정한 모습을 보이면 '이 사람은 알고 보니 다정한 사람이었어.'라고 생각하는 것처럼요. 반대로 평소에는 다정하던 사람이 어쩌다 한 번 차갑게 반응하면 '그 전까지의 모습은 가식이었고 이제 본모습이 나타났군.'이라고 생각하기도 하지요. 하지만 다정함과 퉁명스러움은 한 사람 안에 충분히 공존할 수 있습니다.

대상 항상성이 중요한 이유는 나 자신 역시 모든 면에서 완벽한 존재가 아니기 때문이지요. 한 사람에게는 울퉁불퉁 튀어나온 부분도, 매끈하게 들어가 있는 부분도 함께 존재합니다. 상대를 2D(평면)가 아닌 3D(입체)로 이해하는 일, 어떤 순간의 모습을 그 사람의 전부로 인식하지 않는 것, 상대방이 나와 잘 통하기도 하지만 때로는 나와 맞지 않거나 어리둥절한 모습을 보일 수도 있음을 받아들이는 일은 중요합니다. 나에게 꽤 소중한 관계를 순간의 판단으로 놓치면 두고두고 후회할지도 모릅니다. 세상에 너무 큰 배신감을 느끼지 않기 위해서도 이런 마음가짐은 반드시 필요하죠.

그렇지만 치명적인 문제가 있는 사람을 잃지 않기 위해 애써 상대의 문제를 부정하라는 말은 아닙니다. 상대가 범죄에 가까운 행위 또는 명백하게 비윤리적인 행위를 한 것이 드러났을 때에도 '그 사람에게는 좋은 모습도 있어.'라고 생각하면서 계속 태연한 관계를 유지하면 결국 자기 자신을 파괴하게 됩니다.

예를 들어 보겠습니다. 직장 내 괴롭힘 피해에 대해 팀장과 상의했는데 침묵을 종용받았다고 합시다. 심리적으로 불안한 상태일 때는 피해를 최소화하면서 자신을 잘 지키는 선택을 하기 어려운데요. 그럴 때일수록 본인의 안전을 최대한 확보하고 활용할 수 있는 자원이 있는지 찬찬히 살펴봐야 합니다.

이때 시간을 너무 오래 끌지 않아야 하는 것도 맞지만, 아무런 보호막이 없는데 무작정 문제 제기를 하는 것도 위험할 수 있어요. 우선, 관련 상담 기관에 문의를 하거나 믿을 만한 지인과 상의하는 일도 하나의 방법입니다. 그러면서 자신의 선택에 따라 마주하게 될 현실을 직시해야 합니다. 이 말이 현실에 굴복하라는 뜻은 아니에요. 슬프지만 직장에서는 필연적으로 권력 차이가 존재한다는 걸 고려해야 한다는 말이죠. 고통스럽더라도 일단 두 눈을 똑바로 뜨고 무엇이 지금 내게 자원이 될 수 있고 반대로 지뢰가 될 수 있는지, 상황이 어떻게 돌아가고 있는지를 최대한 아는 것이 우선입니다. 앞으로 나에게 도움이 될 것들과 손해로 다가올 것들을 확실하게 인식한 상태에서 다음 스텝을 결정해야 하는 것이죠.

나를 둘러싼 현실에서 나 자신을 위한 우선순위가 무엇인지 곰곰이 생각해보세요. 내가 무엇을 얻을 수 있고 잃을 수 있는지를 지각한 후 결정하세요. 따라올 것들을 최대한 가늠한 다음, 원하는 만큼 실행에 옮기는 것이 핵심입니다. 아무것도 하지 말라는 의미가 아닙니다. 사람들이 다 있는 곳에서 소리를 지르며 화를 내거나 사직서를 내던지는 선택은 결국 미래의 나에게 더 큰 상처를 줄 수도 있다는 얘기를 하고 싶어요. 분노와 불안에 압도당한 그 순간의 자신만 지키려다가 이후의 자신을 지키지 못하게 되는 것은 슬픈 일이니까요. (물론 여러분이 그런 행동을 하더라도 제가 옳고 그름을 평가할 수는 없습니다.)

부정적인 감정에 압도된 그 순간을 잘 넘기고 어떤 방식으로 대처할지 스스로에게 시간을 주세요. 무조건 침묵하거나 즉각적으로 문제 제기를 하기보다는 모든 가능성을 열어 놓고 살펴보면 앞으로의 행동을 결정하는 데 큰 도움이 됩니다. 자신의 결정에 따라 외부에서 어떤 일이 일어날지 알고 터트리는 것과 모르고 터트리는 것은 차이가 크거든요.

이때 주변 사람들이 모두, 무조건, 즉시, 완전히 동조해 줄 것이라고 예상하지는 마세요. 그러다 주변 사람들의 반응이 예상과 다르면 엄청난 좌절에 휩싸이다가 와르르 무너질 수 있으니까요. 미리 체념한 뒤 아예 도움 요청을 하지 말라는 뜻이 아니라, 소망은 하되 기대하지는 말라는 의미입니다. 도움을 있는 힘껏 최대한 요청하되, 마음속 깊은 곳에서는 다양한 반응을 각오해야 원하는 만큼의 도움을 받지 못하더라도 내가 무너지지 않을 수 있어요.

반대로 누군가가 나에게 도움을 요청해온다면, 내가 누군가의 안식처가 되고 싶은 마음이 든다면 가장 먼저 내가 안전한가를 생각해야 합니다. 비행기에서는 긴급 상황이 발생하면 가장 먼저 자신이 산소마스크를 쓰고, 그다음에 다른 사람을 돕도록 하는 매뉴얼이 있습니다. 먼저 산소마스크를 써서 자신의 안전을 확보해야 타인도 도울 수 있는 것이지요. 다른 사람을 위해 무언가를 무릅쓰는 일은 생각보다 자신의 에너지를 많이 써야 하는 일입니다. 누군가를 도우려다가 오히려 자신이 위험에 빠지기도 하고요. 심지어는 애써서 도움을 주었지만 상대에게 오히려 원망을 듣게 될 때도 있습니다. 그러니 반드시 자신을 잘 지키면서 누군가를 도왔으면 합니다.

타인의 진심에 매달리지 마라

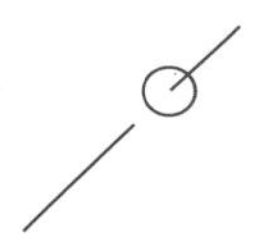

다시 팀장님에 대한 지우 씨의 마음을 들여다볼까요? 지우 씨에게는 팀장님을 향한 인정 욕구가 있습니다. 우리가 흔히 알고 있는 칭찬을 받는다거나 능력을 인정받는 식의 단순한 인정 욕구는 아닌데요. 지우 씨의 판단, 즉 자신의 가치관이 옳다는 것을 그동안 믿고 따랐던 사람이 승인해주었으면 하는 인정 욕구입니다.

회사 생활 경험이 부족한 사람이 상대적으로 더 경험 많은 사람의 판단과 자신의 것을 비교해보는 일은 필요할 수 있습니다. 하지만 지우 씨는 지금 스스로에 대한 확신이 많이 부족해 보이네요. 알고 보니 팀장이 신뢰할 수 없는 사람이거나, 자신이 지나치게 예민한 것이라는 두 가지 선택지 밖에 없는 것처럼 생각합니다. 그러니 상사의 '진짜 생각' 이 너무나 중요한 것이지요. 상사가 "가치관 면에서는 지우 씨의 생각에 동의하지만 회사의 시스템 때문에 안 된다네."라고 말해주기를 은근히 기대하는 겁니다. 팀장님이 이런 말을 한다면, 지우 씨는 그동안 믿고 따랐던 팀장님에게 실망하지 않을 수 있습니다. 또한 지금껏 팀장님을 믿었던 본인의 판단이 맞았다는 걸 확인하면서 궁극적으로는 자신을 보호할 수도 있지요.

저는 지우 씨가 자신의 마음을 팀장님에게 승인받으려 하지 않았으면 좋겠습니다. 설사 그런 마음이 들어도 당장 해결하려 하지 말고 그대로 놔두는 것도 좋은 방법입니다. 좀 더 자기 자신을 신뢰해야 합니다. 자신을 인정해주는 역할을 팀장에게 넘기지 말고 자기 자신에게로 가져오세요. 팀장이 자신의 생각을 수용하지 않았다고 해서 그 생각 자체가 틀린 것은 아니라는 점을 알았으면 합니다.

지우 씨에게는 통제 욕구도 있는데요. 통제 강박처럼 타인을 늘 관리해야 마음이 편한 정도의 심각한 수준이라는 것은 아닙니다. 다만 마음 깊은 곳에 있는, 우리 모두에게도 어느 정도는 존재하는 타인을 통제하고픈 마음이 지금 지우 씨를 괴롭게 하는 것이죠.

다른 사람의 마음을 자신이 옳다고 생각하는 방향으로 변화시키는 건 대단히 어렵습니다. 그런데 지우 씨는 자신이 기대하던 모습이 아닌 팀장님을 받아들이기 힘들어합니다. 팀장님은 '이런 사람일 것이다'는 어느새 '이런 사람이어야 한다'로 바뀌어버린 것이죠. 마음속 깊은 곳에서는 팀장님이 자신이 바라는 모습으로 행동하길 바라고 있습니다.

그러나 자기 자신도 다 이해할 수 없는 마당에 다른 사람을 어떻게 다 이해할까요? 자신이 바라는 타인의 모습이 있는 것은 이상한 일이 아닙니다. 하지만 그 모습만을 지나치게 기대하면 고통이 따르게 마련입니다. 같은 맥락으로 '진심은 반드시 통한다'는 말은 진심이 통하면 참 좋다는 뜻 정도로 이해해야 하는 것이죠. 진심은 반드시 '통해야 한다'고 생각하는 순간, 우리는 통제 욕구의 덫에 빠져 괴로워질 것입니다.

운전할 때를 떠올려보겠습니다. 우리는 교통법규를 위반하거나 운전을 못하는 차들 외에도, 도무지 이해할 수 없는 방식으로 운전하는 차들을 마주칩니다. 그럴 때 우리는 이상하게 운전하는 차는 길 위에 존재하고, 거기서 내가 컨트롤할 수 있는 부분이 많지 않다는 점을 받아들여야 합니다. 그래야 이후 전략을 세울 수 있고, 더 큰 위험으로부터 자신을 잘 보호할 수 있거든요.

지금부터 내가 타인에게 무엇을 기대하고 있는지를 생각해봅시다. 내가 컨트롤할 수 있는 건 나 자신뿐이니, 내가 할 수 있는 만큼만 하자고요. 거기에 타인이 움직여주면 기쁜 일이고, 아니면 속상하지만 한계를 수용하거나 다른 전략을 도모하면 됩니다.

그 사람의 진짜 마음이 관건인 이유

지우 씨에게는 팀장님의 진심이 무엇인지가 너무 중요해 보이네요. 제가 진료실 안팎에서 느끼는 것 중 하나는 많은 이가 타인의 진심에 매달린다는 점입니다. 꼭 모든 경우에 진심이어야 할까요? 진심이 아니면 소용이 없는 걸까요? 이런 생각에는 '진심'만 중요하고, '척'은 무조건 거짓이라는 믿음이 들어 있습니다.

모든 사람이 진심을 보이면 좋겠으나 현실은 그렇지 못할 때가 훨씬 많습니다. 안타깝지만 지우 씨도 팀장님의 진짜 마음은 알 길이 없습니다. 진짜 마음을 지우 씨에게 말해주지 않을 확률이 높고, 어쩌면 팀장님조차도 자신의 진짜 마음이 무엇인지 모를 수도 있습니다.

그래서, 미안한 척에 만족하라고요? 그렇습니다. 물론 진심 어린 사과를 받아내야 하는 경우는 분명히 존재합니다. 사과의 정치적인 의미가 중요한 경우이거나 개인의 존엄성을 훼손한 경우입니다. 하지만 당장 자신부터 진심과 척의 사용 빈도를 세어보자고요. 그럼 생각보다 진심이지 않을 때도 많은 걸 깨닫게 됩니다. "감사합니다"나 "죄송합니다"라는 말에 매번 백 퍼센트의 진심을 담는 사람은 아마 없을 겁니다. 사람이 나빠서가 아니라는 건 여러분도 아실 겁니다. 우리는 매 순간 진심을 다 담기에는 너무 많은 인간관계를 맺으면서 살고 있기도 하고요.

그래서 저는 타인에게 상처를 받은 내담자가 오면 상대에게 진심이 느껴지지 않더라도, '~척'이라도 받아내라고 말할 때가 있습니다. 상대에게 미안한 척, 진심인 척, 고마운 척 등 형식이라도 받으면 다시 같은 일로 상처를 받을 확률이 줄어들거든요. 또, 비록 처음에는 척이었으나 시간이 지나면서 진심으로 미안해하고 고마워하는 마음으로 바뀌기도 합니다.

전체가 아닌 부분과 협력하라

타인을 한마디로만 표현하려고 하면 그때그때 인상이 확확 달라집니다. 그렇기에 사람을 볼 때는 "전체가 아닌 부분으로 보라."고 말해주는 편입니다. 그 사람의 매력적인 부분, 미성숙한 부분을 각각 보고, 자신이 타인의 모습 중 어느 부분과 협력할 것인지를 결정하면 됩니다. 나의 전체를 모두 내어주지 않아도 됩니다. 나의 부분과 타인의 부분이 협력했을 때 서로 대충 맞으면 그걸로 족합니다. 그 사람 전체와 나의 전체가 모두 맞는 건 불가능에 가까운 일이니 말입니다.

인간관계를 앞으로 계속 이어나갈지, 이쯤에서 멈출지를 알기 위해서 이 방법을 사용하면 도움이 될 겁니다. 모임에서 취미를 공유하면서 만난 사람과는 취미를 중점적으로 공유하면 됩니다. 그 밖의 다른 부분들이 심하게 이상하지만 않으면, 취미 공유라는 목적만을 위해 만나면 그뿐이지요.

나와 다른 타인의 면모에 당황하는 마음이 드는 것 자체는 괜찮습니다. 오히려 이런 반응이 없다면 우리는 나쁜 영향을 주는 자극이나 사람을 걸러내지 못하게 됩니다. 마음의 문이 마치 자동문처럼 아무것도 걸러내지 못하면 자신이 손해 보는 줄도 모르는 채로 손해를 보게 될 때가 있겠지요. 다만, 타인의 낯선 모습은 자신과 타인이 맞지 않을 가능성을 알리는 시그널이지, 바로 손절해야 할 시그널은 아니라는 걸 알고 계셔야 합니다.

이 관계에서 내가 얻고자 하는 바가 무엇인지 떠올리면서 상대의 여러 모습을 생각해봅시다. 부분이라는 돋보기를 사용하면 오히려 관계의 손절 여부를 결정할 때도 도움이 됩니다. 부분 부분 살펴보았는데도 도무지 협력할 만한 괜찮은 구석이 없다면 미련 없이 손절하세요.

팀장님과 지우 씨 관계의 궁극적인 목적은 서로 협력하여 좋은 성과를 내는 것입니다. 또한 이 사안에서 지우 씨의 목적은 광고 모델을 재검토할 확률을 최대한 높이는 것이죠. 이번에는 회사의 목적을 떠올려볼까요? 젠더 감수성을 고려하는 것은 최근 많은 회사에서의 중요한 리스크 관리 중 하나입니다. 지우 씨는 자신의 목적을 기억하고, 리스크 관리와 성과 차원에서 접근하여 팀장님과 다시 상의해볼 수 있습니다.

할 수 있는 범위 내에서 가능한 시도를 하는 것이죠. 팀장님이 설득된다면 기쁜 일이고, 설득되지 않는다면 아쉽고 속상하겠지만 지우 씨 권한 밖의 일인 것입니다. 중요한 건 이번 사안뿐만 아니라, 앞으로 다른 사안에서도 계속해서 팀장님의 부분과 협력해나갈 수 있다는 사실이에요. 스스로 할 수 있는 시도를 하되, 그 사람이 바뀌는 것까지 나의 책임은 아닌 것이지요. 팀장님에게 존재하는 아쉬운 영역, 이해할 수 없는 영역, 즉 미지의 영역은 그냥 남겨두세요.

순간의 모습은 그 사람의 전부가 아니다.

chapter 3

친구들과 대화가 안 통해요

올해 서른다섯 살인 유진 씨는 서글서글한 성격 때문에 주변에 친구들이 많고, 대화를 잘 들어주는 편이라 어렸을 때부터 고민 상담을 많이 했다. 그러다 보니 친구들과 시간을 보내는 날이 꽤 많다. 결혼에 대해서는 가치관이 잘 맞는 사람과 하고 싶고, 아니면 안 해도 괜찮다고 생각한다. 하지만 그때그때 생각이 확확 달라지기도 한다. 주변의 친구들이 하나둘 결혼하고, 아이 키우는 모습을 보면서 어떤 때는 좋아 보이기도 하고, 어떤 때는 저렇게 힘들게 살고 싶지는 않다는 생각도 든다.

결혼한 친구들과는 예전보다 자주 만나지 못하지만 그래도 서로 달라진 거리를 인정하며 서서히 익숙해졌다. 관심사가 달라진 것도 처음에는 낯설었지만, 다른 삶에 대해 듣는 것도 그런대로 흥미로운 일이라고 생각하게 됐다. 그러나 그런 유진 씨도 결혼한 친구들을 대할 때 도무지 익숙해지지 않고, 때로는 불편하고 화가 나는 지점들이 있다. 바로 자신에게 결혼 생활의 괴로움에 대한 분노와 서러움을 토로할 때가 그렇다.

처음에는 친구들의 하소연을 심각하게 들어주고 걱정을 표하면서 이런저런 솔루션을 제안해보았지만 이런저런 핑계와 함께 안 된다는 대답만 들었다. 유진 씨 마음속에서는 이제 '그러면 차라리 이혼을 하든가. 뭘 어쩌라는 거야!'라는 말이 목구멍까지 차오른다. 그 말을 결국 하지 않는 이유는 친구가 서운해 할 수도 있는 데다 어차피 말을 듣지 않는다는 걸 알기 때문이다.

"친구들 중에 원래 연애할 때 당장이라도 헤어질 것처럼 울고불고 하소연하다가도 다시 헤헤거리면서 언제 그랬냐는 듯 잘 만나는 애들 꼭 있잖아요? 답답하기도 하지만 그냥 귀엽게 봐줄 수 있는 애들이요. 그런데 원래 안 그랬던 친구들마저 결혼하고 나서는 거의 다 그런 모드예요. 결혼 생활이 여자에게 얼마나 불리한지, 남편이 얼마나 이기적인지, 시가에서는 맞벌이인 걸 알면서 남편 아침밥을 챙겨주라고 한다는 둥, 명절마다 동서네는 코빼기도 안 비친다는 둥, 어린이집에서는 아빠는 안 찾고 당연하다는 듯 엄마만 찾는다는 둥… 마치 잡아먹을 듯 말하다가도 남편이 집에 올 시간이 됐다면서 서둘러 자리를 털고 일어날 때면, 왠지 모르게 허탈한 마음이 들어요."

유진 씨가 제일 참기 어려울 때는 이 과정에서 뜬금없이 유진 씨가 먹잇감이 되는 상황이다.

"제가 '아니 남편이 집안일에 손 하나 까딱 안 하는데 왜 속옷이며 양말이며 다 빨아줘? 심지어 너희 부부는 맞벌이잖아. 그냥 네 것만 챙기면 안 돼?'라고 하면 '네가 결혼을 안 해봐서 그래. 그게 그렇게 쉽지가 않아.'라는 대답이 돌아와요. 그래요. 원래 하소연이라는 게 해결책보다는 공감을 원하는 거니까 그냥 맞장구만 쳐주려 하는데 그래도 저에게 늘 '너는 모를 거야.'라고만 하니까 화가 날 때가 많아요."

모임의 싱글 멤버가 유진 씨 혼자일 때는 이런 상황이 더욱 심해진다. 각자의 배우자나 시가가 얼마나 못마땅한지에 대해 경쟁적으로 목소리를 높이다가, 마지막에는 화살이 유진 씨에게로 향한다.

"유진이 너는 아무 걱정 없어서 좋겠다. 네가 제일 부럽다. 너는 이 언니처럼 결혼 같은 거 절대 하지 말고 살아."

"야, 그래도 결혼은 해야지. 어른의 세계를 경험해야지."

"근데 유진이 너는 왜 결혼 안 해? 나이 먹어서도 혼자면 좀 그렇지 않냐. 눈을 좀 낮추는 게 어떨까?”

어느 날은 “그래도 결혼해야지.”라고 했다가 “야, 너는 하지 마라.”라고 하기도 하니 좋았던 친구들과 자꾸 멀어지는 기분이 든다.

당신이 친구와 멀어진 진짜 이유

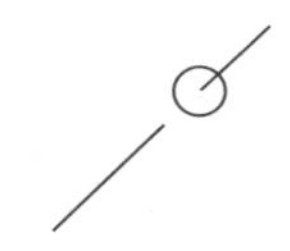

유진 씨가 이렇게 속상한 건 과거에 친구들과의 관계가 그만큼 좋았기 때문이겠죠. 주변 친구들이 하나둘 결혼하고 아이를 갖기 시작할 때의 혼란스럽고 서운한 시기를 비교적 잘 넘긴 것 같습니다. 그런데도 유진 씨는 곤란합니다. 애초부터 기대하는 게 없었던 관계라면 모를까. 시시콜콜한 것까지 모두 공유하던 친구들이었는데, 이제는 각자의 가족에게만 온 신경이 집중되어 있으니 말이죠. 친구들이 얘기할 때마다 감정이입하며 다 들어주는데, 마무리는 늘 '너는 모를 거야', '너는 언제 결혼할 건데?'로 끝나니 서운한 마음이 드는 건 당연합니다.

싱글이 마주하는 곤란함

최근에는 결혼에 대한 대화를 조심스럽게 해야 한다는 인식이 많이 자리 잡혔습니다. 하지만 아직도 많은 싱글 여성이 결혼에 대한 질문을 언제, 어디서 받을지 몰라 여기저기서 스트레스를 받는 것은 사실이죠. 연로한 부모님을 챙기는 등 집안일을 가장 많이 도우면서도 생색도 제대로 내지 못하는 상황("이런 거 안 해줘도 되니 결혼이나 해!")도 많습니다.

아직도 우리 사회는 결혼 제도 안에서 여자와 남자가 만나 아이를 낳고 살아가는 핵가족을 이상적으로 생각하는 편입니다.[2] 삶의 방식을 다양하게 생각하지 못하니, 결혼과 자녀 양육을 해야만 성숙한 개인이 될 수 있는 것처럼 여기기도 하죠.

그 가운데서 싱글인 유진 씨가 결혼한 친구들을 대할 때의 곤란한 마음을 먼저 살펴보겠습니다. 유진 씨는 고통받는 친구들을 보면서 무력감을 느낍니다. 친구들은 때로는 가부장적 결혼 생활 안에서 스트레스를 받으며 배우자, 시어머니, 시누이에 대한 분노를 표현하고, 때로는 얄미운 동서가 쏙 빠져나가서 자신만 더 고생한다고 말합니다. 친구들이 결혼 생활 안에서 겪는 무력감이 그대로 전해집니다. 그러면서도 그 상황에서 벗어날 생각이 없는 친구들을 볼 때면 혼란스럽습니다. 어떤 때는 비난하고 싶은 마음마저 들 때가 있습니다.

"괴롭다고 말하면서도 계속 그 쳇바퀴를 굴리고 있잖아요."

화가 나고, 그렇게 시달리는 친구들에게 화가 나는 자기 자신에게도 불편한 마음이 듭니다. 그리고 유진 씨는 계속해서 이중 메시지를 받습니다. 결혼 생활에 실컷 분노하다가 '네가 아직 좋은 사람을 못 만나서 그래.'라고 말하는 그들에게서 일관성이 느껴지지 않습니다. 끊임없이 상반된 메시지를 받으며 유진 씨는 피로해집니다. 결혼했을 때의 불안과 결혼하지 않았을 때의 불안을 모두 주입하고 그들은 떠나버립니다.

유진 씨는 친구들에게 아직 어른이 아닌 것만 같은 취급을 받습니다. 다른 주제로 대화할 때는 감히 할 수도 없는 오지랖과 충고들이 쏟아집니다. 이는 우리 주변에서도 흔히 볼 수 있는 현상입니다. 각자의 직업, 가치관, 전문성 등 많은 영역에서 대체로 존중하던 사람들조차도, 결혼 이슈와 관련해서는 갑자기 인생 선배 행세를 하죠.

어쩌면 자신이 친구들에게 소모된다는 느낌이 들었을 거

예요. 실컷 자신들의 얘기를 쏟아부어도 될 사람인 것처럼 행동하니까요. 대화를 할 때 존중받는 느낌, 그리고 유진 씨의 생각이 궁금하고 위로가 필요하다는 느낌이 있었다면, 소모당한다는 생각까지는 들지 않았을지도 모릅니다.

결혼 생활의 고충

사례에서 친구들이 다소 평면적으로 묘사되어 그렇지, 유진 씨의 친구들 역시 당연히 입체적인 마음을 가지고 있을 거예요. 그렇다면 유진 씨의 친구들은 왜 이렇게 이중적 모습을 보일까요? 마음 안에 여러 방향의 욕구가 존재하기 때문입니다.

유진 씨에게는 결혼이 갈 수도 있고 안 갈 수도 있는 길이고, 친구들에게는 이미 걷고 있는 길입니다. 어떤 때는 자신이 선택하지 않은 길에 대한 아쉬움을 느끼고, 어떤 때는 이미 선택한 길의 장점을 보려고 노력하기도 하죠. 또 어떤 때는 가지 않은 길에 있는 포도는 시고 맛이 없을 거라며 애써 합리화하기도 합니다. 그 여러 마음들이 순서를 바꿔가며 드러나다 보니 모순적인 메시지처럼 느껴지는 것입니다.

결혼 생활에 대한 고통을 토로하는 방식 중 가벼운 형태로는 농담이 있는데요. 유머는 때로 현실의 고통을 덜어주고, 때로는 현실의 부조리를 드러냅니다.

"가족끼리 어떻게 스킨십을 해."라는 말로 부부 사이의 성적 친밀함에 대한 거부감을 드러낸다든가 "우리 집은 아들이 둘이 아니라 셋이야."라고 하면서 남편이 집에서 성인으로서 역할을 충분히 수행하지 못한다고 표현하고, "허락보다는 용서가 쉽다. 그냥 질러라." 같은 말로 부인에게 잡혀 사는 남편을 자처합니다. 이렇듯 유머는 분명 현실의 어떤 모습을 담고 있습니다.

이 유머들에서 우리는 누가 시켜서 억지로 결혼 생활을 하는 것만 같은 뉘앙스를 공통적으로 발견할 수 있습니다. 부정적인 감정을 토로하려는 마음과, 남들에게 그리 행복하지 않은 듯이 겸손(?)해 보이려는 의도가 뒤섞여 있는 것도 같네요. 대화할 때 상대방도 이런 패턴의 농담을 알기 때문에 역할 놀이처럼 장단을 맞춥니다. 놀리기도 하고, 자신의 상황은 더하다고 말하기도 합니다. 이런 농담을 할 때 어떤 사람은 실제로는 별로 고통스럽지 않고 그저 장난을 치는 마음인 반면, 어떤 사람은 꽤 심각한 고통을 농담으로 포장하고 있는 것입니다.

수동적이고 불행하기만 한 결혼 생활을 하고 있다는 사실이 진짜가 아니라면 그나마 다행인데요. 만일 진짜라면 단순히 농담으로 그칠 것이 아니라 진지한 고민이 필요한 상태입니다. 타인에게 어떻게 표현하든 적어도 자기 자신에게만큼은 그것이 가벼운 농담인지 아니면 진지한 고통인지를 확실하게 구별했으면 좋겠습니다. 진지한 고통이라면 진지하게 자기 삶을 들여다보며 감정을 정리하고 솔루션을 찾아야 하기 때문입니다. 적어도 자기 자신만큼은 자신의 진심이 무엇인지를 알아야 합니다.

정말로 고부 갈등이 문제인가

우리 사회에서는 고부 갈등이라는 표현을 많이 사용합니다. 말의 힘은 상상 그 이상으로 무서워서 고부 갈등이라는 표현 때문에 시어머니와 며느리의 불화가 마치 모든 문제의 시작과 끝인 것처럼 인식되곤 합니다. 그러나 고부 갈등이 모든 문제의 원인이 될 수는 없습니다. 갈등은 며느리가 가족으로 편입되기 전부터 시작되고 있었고, 이는 그 윗세대의 영향도 받았을 거예요.

우리나라에 집안에 며느리 하나 잘못 들였다간 큰일 난다는 말이 있는데요. 이 말은 며느리가 기존 집안 분위기에 잘 스며들어야 한다는 뜻입니다. 만약 그렇지 못하면 집안의 안위가 위태해진다는 뜻이기도 하고요. 즉, 며느리에게 집안의 운명을 맡기고 의존하는 것이죠. 이런 말을 들으며 며느리는 원하지도 않을뿐더러 그럴 필요도 없는 책임을 짊어집니다. 억울해하면서도 자신이 집안을 망친다는 죄책감을 가지며 갈등하게 되지요.

며느리는 일종의 속죄양(scapegoat)인 것이죠. 속죄양은 가족치료 이론에서 흔히 사용하는 용어인데요. 가족 구성원 중 한 명(속죄양)에게 가족 내 갈등의 혐의를 씌워 모든 불행의 원인으로 취급함으로써 나머지 구성원들이 무의식적으로 만족하게 되는 것이죠. 속죄양을 비난하면서 역설적으로 의존하는 상황입니다. 누가 속죄양이 되는지에는 사회가 주는 권력 및 가족 내에서 개인들이 가지는 권력 관계가 복합적으로 작동합니다.

그렇다면 고부 갈등을 다른 말로 하면 과거의 속죄양과 현재의 속죄양의 갈등일 것이고, 동서 간의 갈등은 현재의 속죄양끼리의, 또는 현재의 속죄양과, 속죄양이 되고 싶지 않은 자의 갈등이라고 볼 수 있습니다. 속죄양에게만 갈등의 무게를 맡겨놓으면 과연 나머지 구성원이 행복할까요? 결코 그럴 리는 없을 겁니다.

관계를 유지하는 적당한 거리

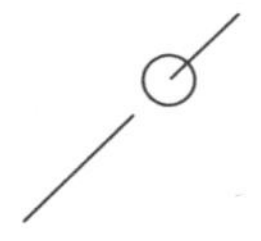

지금부터는 유진 씨가 친구들의 다른 좋은 면들을 잘 알고 있어서 계속 관계를 이어나가고 싶어 한다는 전제하에 말해보려 합니다. 상대가 어떤 마음일지를 짐작하고, 이해해보려는 행위는 상대의 모든 행동을 다 받아주는 것과는 다릅니다. 상대가 대체 내게 왜 이러는지 모를 때보다는 상대가 어떤 마음에서 그러는지를 추측한 후 상대할 때 덜 답답하고, 자신의 태도를 더 잘 결정할 수 있습니다.

그렇기에 유진 씨는 친구들에 대한 마음을 이렇게 정리하면 마음이 좀 더 편해질 거예요. '부당한 상황에서 느끼는 무력감과 양가감정(두 가지의 상호 대립되거나 상호 모순되는 감정이 공존하는 상태) 때문에 힘들어서 나에게 이렇게 말하는 거구나. 안타깝지만 내가 대신 감당하거나 해결해줄 수 있는 것은 아니야. 이 상황에서 내가 불편한 마음을 느끼는 건 당연해. 내 감정이 소모되지 않도록 신경 써야겠다.'

이렇게 생각하는 것만으로는 부족할 수도 있으니 친구들과 보내는 시간을 줄이는 것도 좋은 방법입니다. 기혼 친구 여럿과 만날 때 결혼 생활 불행 배틀과 유진 씨에 대한 오지랖이 더 과열된다면 일대일로 친구를 만나는 방식을 택하는 것도 좋습니다.

이중 메시지를 진솔한 대화로

사실 유진 씨가 피로감을 느끼는 가장 큰 이유는 친구들이 고통을 공유해서가 아니라 갑옷을 쓴 채로 공유하기 때문입니다. 자신들을 지키려다 보니 이중 메시지가 나오고 유진 씨가 소모되는 것이죠. 반드시 이렇게 해야 하는 건 아니지만 유진 씨가 원한다면 시도해볼 수 있는 대화 방식이 있습니다. 상대의 말에서 건질 수 있는 중립적인 사실을 호기심과 염려를 담아 전달하는 반영(reflection)이라는 방법입니다. 이때 상대에 대한 부정적인 감정이나 비꼬려는 마음은 최대한 빼는 것이 좋습니다. 예를 들어보겠습니다.

친구: 너는 아마 결혼 안 해서 모를 거야.

유진: 다른 처지의 내가 다 이해하기 어려울 거라고 생각될 만큼 네가 지금 힘들구나.

이 방식은 꼭 유진 씨 경우뿐만 아니라 관계에서 상대와 진솔한 대화를 하고 싶을 때 시도해볼 수 있는 방법입니다. 물론 이렇게 해서 상대가 갑옷을 내려놓고 대화할 수 있으면 좋겠지만, 유진 씨가 이렇게 해야 할 의무는 없다는 점을 강조하고 싶습니다.

안타깝지만 더 이상 서로가 우선순위가 아닌 상황을 받아들이고, 유진 씨가 다양한 방식으로 살아가는 다른 집단과도 새로운 관계를 맺어나가면 좋겠습니다. 많은 용기와 시행착오가 필요하겠지만 다양한 사람 또는 관심사로 영역을 크게 넓혀서 친구들과의 관계가 많은 관계 중 하나가 되는 상황을 만들었으면 좋겠네요. 그때 가서는 친구들을 조금 더 받아줄 수 있는 여유가 생기거나, 손절에 대한 결정 역시 더 합리적으로 내릴 수 있을 거예요.

결혼 생활을 다루는 마음

진료를 하다 보면 많은 내담자가 상담 내용의 비밀 보장이 된다는 걸 알고 있음에도 자신의 마음을 직면하는 데 어려움을 겪습니다. 그래서 자신도 모르게 스스로를 방어하고, 현실의 고통을 말하면서도 동시에 부정하거나 합리화하기도 하죠. 자연스러운 현상입니다. 전문가와의 상담에서도 이런데, 현실에서 관계를 유지해야 하는 친구와의 대화에서는 얼마나 더 힘들까요? 답답함을 해소하기 위해 친구와 대화를 하면서도 자신의 진짜 속마음이 무엇인지를 잘 모른 채 공허한 말만 오갈 수 있습니다. 때로는 고통을 과장하기도 하고, 때로는 축소하거나 감추기도 하겠죠.

그러나 자신의 진짜 마음을 들여다보는 시간은 누구에게나 필요합니다. 의식의 흐름대로 마음을 종이에 적어보세요. 이것만으로 부족하다면 마음을 최대한 있는 그대로 표현하고 파악할 수 있도록 상담을 받아보는 것도 좋습니다.

어떤 고통은 가부장적 체계 때문에 생기고, 어떤 고통은 가족 내 개개인의 성격 차이로 생깁니다. 두 요인이 복합적으로 작용하는 경우도 있죠. 고통을 줄이고자 협상을 시도하지만 어떤 때는 성공하고 또 어떤 때는 실패합니다.

만약 실패하더라도 자신이 부족해서 상황이 바뀌지 않는 것이라는 생각은 하지 않았으면 해요. 견고한 현실에 변화를 만들어내는 건 정말 쉽지 않은 일입니다. 일단은 현재의 삶에서 심리적·물리적으로 무엇을 얻고 있고, 무엇을 잃고 있는지를 가공 없이 있는 그대로 들여다보는 걸 추천합니다.

그런 뒤 더 나아지고 싶다고 느끼는 주제가 있다면, 그것을 위해 자신이 무엇을 할 수 있을지를 생각해보세요. 오랜 시간을 투자하고, 상담 등의 외부 자원이 필요할 수 있는 쉽지 않은 작업일지도 모릅니다. 특히, 그 주제가 가족 내 악순환의 고리를 끊어내는 것이라면 과정이 험난할 거예요. 분명 다른 가족, 친척들로부터 엄청난 저항을 받게 될 겁니다. 이때 '나만 참으면 되는데 괜히 문제를 일으키는 것일까?'라는 자책이 함정으로 나타나게 될지도 모르는데요. 이 함정을 잘 통과하는 게 중요합니다. 문제를 일으키기 싫어하는 여성들은 수동적인 존재가 아니라 타인의 감정을 잘 짐작하고 불편함을 덜어주는데 능한 사람입니다. 그 기술을 이제 '자기 자신'을 위해 쓰기로 마음먹으면 좋겠습니다.[3]

거절을 못 하겠어요

미소 씨는 타인에게 거절당하는 상황을 힘들어하는 편이다. 거절당할까 봐 거절을 잘 못한다. 상대가 애매한 표정이나 리액션이라도 보이면 자신 때문에 그런 건지를 고민하며 스트레스를 받을 때가 많다. 그런 미소 씨에게 최근 심란한 일이 생겼다. 조원들과 함께하는 필수 전공 실습 때문이다.

이번 전공 실습을 담당하는 A교수가 여학생들, 특히 예쁜 여학생들을 편애한다는 것이 비밀 아닌 비밀이다. 실습은 조별로 점수를 부여하기 때문에, 예쁜 여학생이 속한 조는 실습을 돌기 전부터 만점은 따 놓은 당상이라고들 말할 정도다.

A교수와의 실습 스케줄은 이렇게 이루어진다. 먼저 조원들 모두를 대상으로 형식적인 전공 강의를 한 시간 정도 한다. 그런 뒤 남학생들을 먼저 보내고 나서, 남초 과라 비

교적 인원이 적은 여학생들에게 맞춤형으로 전공 상담을 해준다는 명분으로 온종일 함께 시간을 보낸다.

비싼 레스토랑에서 점심을 먹고, 유행하는 영화를 다 함께 극장에서 보고, 저녁에 카페 문을 닫을 때까지 이런저런 대화를 나눈다. 하이라이트는 일과 중간중간 사진을 찍는 시간이다. 사진에 취미가 있는 A교수가 추억을 남겨주겠다며 이런저런 포즈를 취해보라고 하면서 디지털 카메라로 개인별, 그룹별 사진을 수십 장씩 찍는데, 거절하기 상당히 어려운 분위기라고 한다.

사실 미소 씨는 눈에 띌 정도로 예쁜 외모여서 실습을 앞두고 같은 조의 여학생, 남학생 할 것 없이 모두 미소 씨에게 농담 반 진담 반으로 말한다.

"네 덕에 점수 잘 받겠다. 미리 고마워."

"예전 A교수님 수업 때는 상대평가라서 내가 역차별받는 것 같아 싫었는데, 이번엔 같이 묻어가니까 좋네."

그러나 미소 씨는 이 실습에 참여하고 싶지 않다.

"요즘에도 이런 데가 있다는 게 놀랍죠? 다른 곳이라면 누군가가 문제 제기를 몇 번이고 했겠지만, 저희 학교랑 전공 분위기가 유독 권위적이거든요. 저 역시 정식으로 문제 제기를 하고 싶은 마음은 없어요. 그로 인해 생길 손해를 감당할 자신이 없거든요. 그냥 저 혼자 실습에 참여하기 싫을 뿐이에요. 제 점수를 못 받는 건 각오가 돼 있어요. 그런데 친구들이 저를 원망하거나 저에게 서운해하면 어떡하나 걱정이 돼요."

실제로 A교수의 실습에 불참한 여학생도 있다. 미소 씨의 친구 주현 씨인데, 호불호가 분명하고 스스로 해야 할 필요가 없다고 느끼는 일에 대해서는 안 하는 쪽을 택하는 편이다. 미소 씨는 그런 주현 씨를 좋아하고 부러워하기도 한다. 주현 씨의 행동에 대해 뒤에서 좋지 않게 얘기하는 친구들을 보면서 주현 씨보다도 더 억울해하고 걱정한다.

"'걔네라고 좋아서 그 시간을 보내는 건 아닐 테고, 한 명이 빠지면 나머지 사람들이 더 많은 에너지를 소모할 텐데… 그냥 눈 딱 감고 하루를 보내야 하나? 그렇다고 불쾌한 일을 다 같이 감내하는 것이 의리 있는 행동인 건가? 그런데 조원들이 나 때문에 점수를 못 받으면 미안해서 어떡하지?' 이런 생각들을 막 해요."

미소 씨는 친구들한테 폐 끼치는 것 같고, 친구들과 멀어질 것 같은 마음에 결정을 못 하는 자신이 답답하고 한심하기만 하다.

갈등을 두려워하는 사람들

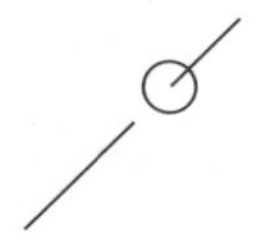

미소 씨의 사례를 보고 여러분은 어떤 생각이 드나요? '아니 말도 안 되는 일이 일어나는 곳이네.', '왜 아무도 정식으로 문제 제기를 하지 않지?' 이런 생각을 하지는 않았나요? 물론 답답한 마음이 들 수 있습니다. 미소 씨를 고민하게 만드는 상황 자체가 발생하지 않는 것이 제일 바람직하겠지만, 이 '말도 안 되는 일'은 지금 눈앞에 있습니다. 그렇다면 미소 씨는 어떻게 해야 할까요? 자신의 마음과 상황을 고려하여 선택을 해야 합니다. 여기서 중요한 건 누구도 미소 씨 개인의 사정을 무시한 채 특정한 선택을 강요할 수 없다는 것입니다.

미소 씨는 지금 자신에게 주어진 의무 아닌 의무를 거부하는 선택지를 놓고 고민에 휩싸여 있습니다. 자신이 손해를 볼까 봐 두렵기도 하고(이것 하나만으로도 중요한 이유입니다.), 다른 조원들까지 피해를 본다는 생각에 미안하기 때문이죠. 비난을 받는 것도 두려울 겁니다. 상냥함을 갖추고 '둥글게' 지내는 게 미덕이며, 자기주장을 내세우는 일은 민폐라는 인식이 강한 환경에 둘러싸여 있다면 더더욱 깊은 고민을 할 겁니다.

게다가 미소 씨는 사람과의 관계에서 갈등을 겪는 걸 무척 괴로워하는 것으로 보입니다. 관계에서는 필연적으로 갈등이 생기는데요. 이때 갈등은 적절한 결론에 도달하기 위해 때로는 반드시 거쳐야 하는 과정이기도 합니다. 관계에서의 갈등 상황이 유쾌한 사람이야 없겠지만, 미소 씨처럼 유독 더 힘들어하는 사람이 있습니다.

사실 갈등을 줄이는 능력, 즉 다른 이의 마음을 짐작하는 능력과 인내심은 아무나 갖추기 어려운 귀한 역량입니다. 이를 잘 활용하면 자신에게 소중한 자원이 될 수 있어요. 하지만 다른 사람과 어떤 갈등도 만들지 않으려고 무조건 자신이 참거나 배려하면서 상황을 넘기면 안 됩니다. 이때 갈등은 겉으로는 사라진 것처럼 보이지만 결국 그 사람 안으로 들어와 계속 존재하고 있는 경우가 많습니다.

미소 씨 안에서는 자신이 원하지 않는 행동은 하고 싶지 않은 마음, 친구들을 배려하고 싶은 마음과 미안함, 친구들과 멀어지고 상처받을 것에 대한 두려움 등 여러 마음이 충돌하고 있습니다.

좀처럼 마음을 정리하기 어려운 이유를 알기 위해 우선 신경증적 갈등(neurotic conflict)이라는 개념을 알아보겠습니다. '신경증적'이라는 단어는 다양한 뜻을 가지고 매우 광범위하게 사용되지만, 여기에서는 원하는 것과 두려워하는 것 사이에서 괴로워하는 마음의 경향을 이야기합니다.

'어, 나도 그런데?'라는 마음이 든다면 걱정하지 마세요. 신경증적 갈등에서 자유로운 사람은 몇 없으니까요. 장담컨대 99퍼센트의 사람은 감정 상태에 따라, 상황에 따라 신경증적 갈등을 겪습니다. 신경증적 갈등이 삶을 얼마나 지배하는지는 각자 다르지만요.

신경증적 갈등을 좀 더 이해하기 위해, 아들과 아버지가 당나귀를 팔러 가는 이솝 우화 이야기를 예로 들어볼까요?

부자가 나귀를 장터에 팔기 위해 끌고 가는데, 마을 사람들이 수군거립니다.

"나귀를 타고 가면 되는데 멍청하게 왜 끌고 가지?"

그 말을 들은 아버지가 아들을 나귀에 앉히자 지나가던 다른 사람들은 “아무리 세상이 변했지만 늙은 아버지를 걷게 해?”라고 비난합니다.

그래서 아들이 내리고 이번엔 아버지가 올라타자, 또 다른 사람들이 수군거립니다.

“인정머리 없는 아버지네. 어린 자식을 걷게 하고 자신만 나귀를 타다니….”

이번에는 부자가 함께 나귀에 올라탔더니, 또 다른 사람들이 뒤에서 말합니다.

“에구, 나귀 힘들어하는 것 좀 봐. 말 못 하는 짐승이라고 저렇게 부려먹어도 되나?”

그러자 이들은 급기야 나귀를 둘러메고 다리를 건너기 시작했고, 새로운 사람들의 비웃음 속에 허둥대다 결국 냇물로 풍덩 빠져버립니다.

여기서 마을 사람들의 각기 다른 목소리는 한 사람 안에 얽혀 있는 여러 가지 욕구와 두려움을 상징합니다. 모든 마을 사람을 만족시킬 수 없는 것처럼 자기 안의 모든 욕구를 채우거나 두려움을 완전히 없애는 일은 슬프지만 불가능합니다. 여러 내면의 목소리에 귀를 기울이고, 고민한다는 것 자체는 자신의 가치관을 발달시켜 왔다는 좋은 징조입니다.

정신분석학자 카렌 호나이(Karen Horney)는 갈등 후 결정을 내릴 수 있다는 건 결정에 대한 책임을 기꺼이 받아들이는 능력이 있음을 의미한다고 말했습니다. 잘못된 결정에 따른 손해를 감수하고, 다른 이들을 비난하지 않고 그 결과를 감당한다는 뜻이지요.[4]

포기를 새로운 출발선으로 삼아라

우리는 저마다 다른 의미로 포기라는 단어를 이해합니다. 대체로 부정적인 의미로 사용하지만, 여기서는 무언가를 감수한다는 뜻입니다. 지금 미소 씨가 (슬픈 상황이긴 하지만) 자신이 원치 않는 일을 하지 않으면서도 다른 이들에게 미안해하지 않고, 누구에게서도 비난받지 않은 상황은 절대 일어날 수 없습니다. 여러 가지 욕구 중 무언가는 포기해야 한다는 거죠.

우리에게는 감수해야 하는 감정과 책임져야 하는 감정이 있습니다. 주현 씨는 타인이 겪을 서운함, 미움받을지 모른다는 두려움, 다른 사람들이 손해를 보게 될지 모른다는 부담감 등을 감수했고, 부당한 일을 하고 싶지 않다는 자신의 감정에 책임을 졌습니다. 그렇다면 미소 씨는 무엇을 감수하고 무엇을 책임져야 할까요? 정답은 없습니다. 다만, 다음의 단계들을 떠올려보세요.

1단계: 지금 이 상황은 부당하다. 이런 상황에 처하지 않을 수 있다면 가장 좋았을 것이다.

2단계: 그러나 슬프게도 나는 지금 이 상황에 처해 있다.

3단계: 이 상황에 처한 건 내 탓이 아니다.

4단계: 내 탓이 아니지만, 선택은 내가 해야 한다.

5단계: 그리고 그 과정에서 무언가를 감수해야 한다.

미소 씨가 어느 한쪽을 선택하기 어려운 이유는 갈등하는 것보다 한쪽을 포기할 때 감수해야 할 감정의 고통이 훨씬 더 따갑고 쓰리기 때문입니다. 미소 씨는 거절 민감성(rejection sensitivity)이 높은데요. 이는 어떤 상황에서 자신이 거절당할 가능성을 어떻게든 캐치하려 한다는 뜻이며, 거절을 자신에 대한 매우 큰 위협으로 느낀다는 뜻입니다. 거절 민감성이 높은 사람은 타인의 반응에 민감합니다. 다 같이 있을 때 누군가 언짢아 보이면, 혹시 자신의 탓이 아닌지 불안한 마음이 듭니다. 그러니 자기 탓이 아니라는 증거를 확보하는 데 공을 많이 들이죠. 자신 때문이 아니라는 걸 이성적으로는 알게 되더라도 그 상황을 수습해야 하는 책임이 전적으로 자신에게 있기라도 한 것처럼 쩔쩔매곤 합니다.

'타인을 불편하게 하지도, 미움받지도 않는 나'라는 본인이 만든 이상적 이미지는 이기심이 아니라 절박함에서 나오는데요. '미움받아서는 안 돼. 미움받으면 나는 회복하기 어려울 정도로 외로워지고 상처 입을 거야.'라는 무의식적 전제가 있기 때문입니다. 마치 온 세상이 자신에게서 등을 돌리는 것만 같은 느낌은 몹시 쓰라릴 것입니다. 덧붙여, 미소 씨처럼 거절 민감성이 높으면 눈치가 엄청나게 발달한 경우가 많은데요. 쉽게 알아차리기 힘든 미묘한 성별 억압에 대해서도 남들보다 더 기민하게 감지할 때가 많습니다. 그래서 성별 억압에 분노를 더 자주 느끼거나, 반대로 다른 사람들이 불편을 느끼기 전에 미리 알아서 맞춰주는 경우가 많아요.

우리가 누군가와 관계를 맺기 시작하면 아래와 같은 생각들을 떠올릴 수 있는데, 이 중 어떤 생각을 주로 떠올리는지는 저마다 다릅니다.

- 나와 잘 맞는 사람일까?

- 혹시 이상한 사람은 아닐까?
- 나를 좋아해줄까?
- 나를 이상하다고 생각하지는 않을까?
- 내게 어떤 이득을 가져다줄 수 있을까?
- 내게 손해를 끼칠 수도 있지 않을까?

미소 씨에게 타인이란, '언제든 자신을 평가하고 상처 줄 수 있는 존재'인 것 같아요. 그러니 상처받지 않기 위해 늘 애써야 한다고 생각합니다. 자신이 애쓰고 있기 때문에 관계가 무사히 유지되는 것이고, 그렇게 하지 않으면 그 관계가 깨질 것이라는 두려움이 있는 것이죠. 여기에는 '타인을 언짢게 하면 미움받을 것이고, 그러면 나는 비참하고 안전하지 못할 것'이라는 강력한 전제가 깔려 있습니다.

내 감정은 나의 것, 네 감정은 너의 것

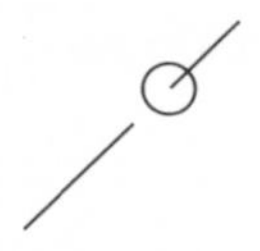

인기리에 연재되고 단행본도 출간된 만화 『며느라기』의 한 장면을 보면, 신경증적 갈등 상황에서 각기 다르게 대처하는 두 사람이 등장합니다.[5]

민사린: 형님, 안녕하세요.

정혜린: 늦은 시간에 전화해서 미안해요. 잠 깨운 거 아니죠?

민사린: 아니에요. 밖에서 커피 마시고 있어요.

정혜린: 아! 커피! 나도 빨리 커피 마시고 싶다~

민사린: ….

정혜린: 저기 혹시 뮤지컬 좋아해요? 내가 예매해놓은 게 있는데 몸 상태가 영 아니라서. 이게 다음 주라 안 되면 다른 사람 주려고 늦은 시간에 전화했어요.

민사린: 형님, 오늘 제사 못 오신 것 때문에 그러시는 거면 신경 안 쓰셔도 돼요. 일부러 안 오신 것도 아니고…

정혜린: … 사린 씨. 오늘 내가 안 가서 서운했어요?

민사린: ….

정혜린: 뮤지컬은 너무 좋은 자리라 다른 사람 주기 아까워서 연락한 거예요. 제사는 어떻게 생각할지 모르겠지만 나는 사린 씨한테 미안한 생각 없는데. 그게 사린 씨랑 나랑 나눠서 할 일이라고 생각 안 해요. 그래서 안 간 거고. 그래서 미안한 마음도 없어요. 나한테 서운한 마음 안 가졌으면 좋겠지만 나랑 생각이 다를 수 있으니 서운해 말라고는 말 못 하겠네요. 티켓 이거 요즘 구하기 어려운 거예요. 생각 있으면 연락 줘요. 그럼 커피 잘 마시고 조심히 들어가요.

『며느라기』의 주인공은 사랑받는 착한 며느리가 되고 싶은 사린 씨입니다. 사린 씨와 동서지간인 혜린 씨는 시가의 제사 준비에 참여하지 않습니다. 혜린 씨의 선택으로 사린 씨는 '혜린 씨 몫'의 고생을 더 하면서 제사상을 준비하게 되죠. 그 과정에서 불쾌함을 느껴 남편과 다투기까지 합니다.

카페에서 사린 씨가 혼자 머리를 식히는 중에 혜린 씨에게서 전화가 옵니다. 자신이 가지 못하게 된 공연 티켓을 주고 싶다고 한 혜린 씨. 사린 씨는 혜린 씨가 제사에 못 와서 미안한 마음에 그러는 것이라 여기며 괜찮다고 하지만, 혜린 씨는 그 제사는 자신이 사린 씨와 나눠서 해야 할 일이 아니라고 생각해서 안 간 것이라고 말합니다.

"서운한 마음 안 가졌으면 좋겠지만 나랑 생각이 다를 수 있으니 서운해 말라고는 말 못 하겠네요."

그렇게 대답한 혜린 씨 마음도 편치 않습니다. 임신 중인 혜린 씨는 통화 후, 카페에 혼자 있는 사린 씨의 마음을 염려하며 배 속의 아이에게 이런 말을 건넵니다.

"엄마가 갈 걸 그랬나? 많이 힘들었나 봐. 이게 맞는다고 생각하는데 마음이 안 좋네."

연재 내내 독자들로부터 '사이다'로 불렸던 혜린 씨도 자신이 제사에 참여하지 않아서 사린 씨가 더 고생할 수도 있다는 것, 어른들이 자신을 못마땅해할 것이라는 것 등을 모르지 않습니다. 그럼에도 자신이 원하는 선택을 했어요. 갈등 상황에서 스스로 무엇을 감수할지 결정하고 그에 대한 책임을 집니다. 사린 씨가 고생했다는 사실에 속상해하면서도 그것이 모두 자기 탓인 양 스스로를 비난하거나, 성급하게 자신을 정당화하면서 사린 씨에게 자신을 원망하면 안 된다고 항변하지도 않지요. 사린 씨의 고통에 공감과 연민은 느끼면서도 그 고통을 자신의 것으로 끌어오지 않습니다.

혜린 씨는 사린 씨가 자신에게 서운한 마음을 갖지 않기를 소망하지만, 사린 씨 감정은 사린 씨의 것이기에 자신이 어떻게 할 수 없다는 것을 알고 있습니다. 물론 혜린 씨의 감정 역시 자신의 것이라는 것도 알고 있어요.

모든 순간을 혜린 씨처럼 살아가는 건 어려운 일입니다. 그러니까 사이다라는 별명도 갖게 된 것이겠지요. 다만, 수많은 순간들 중 어떤 순간에는 혜린 씨의 방식을 참고한다면, 상황을 헤쳐나가는 새로운 방법 하나를 손에 쥐는 셈입니다.

어떤 선택을 해도 괜찮다, 다만…

미소 씨에게 일방적으로 주현 씨 같은 선택을 하라고 강요할 수 없습니다. 다만, 저는 앞서 말한 다섯 가지 단계에 이어서 미소 씨가 이렇게 생각했으면 좋겠습니다.

6단계: 결국 어떤 선택을 하더라도, 괜찮다.

어떤 선택이든 다 거기서 거기라는 의미가 아닙니다. 어떤 선택을 하더라도 삶은 계속될 것이고, 내 앞에는 또 다른 새로운 기회들이 주어질 것이라는 뜻입니다. 이렇게 자신이 안전하다는 전제 위에서 하는 선택일수록, 순간의 욕구나 두려움에만 매몰되지 않을 수 있습니다. 선택의 결과물이 미소 씨가 두려워하는 만큼의 처참한 크기로 삶을 좌우하지는 못할 거라는 믿음을 점차 키워간다면 신경증적 갈등으로 겪는 고통을 줄일 수 있을 거예요.

이런 마음을 가진 후 무엇인가를 감수하고, 책임지는 선택을 했으면 좋겠습니다. 속상한 결과로 이어지더라도 그런 선택을 한 자신을 미워하기보다는 일단 고생했다고 말해준 후, 앞으로는 어떤 방향으로 나아가는 게 좋을지에 대해 (과거의 나 자신과) 긴밀히 대화하고 대책을 의논하세요. 스스로를 무작정 원망하지 마세요. 그런 선택을 한 그 순간의 자신을 지금의 내가 비난하는 셈인데, 그건 갈등했던 과거의 본인에게 무척 미안한 일이기도 하고, 자신을 둘로 쪼개 한쪽을 비난하는 일은 자기 자신에게도 무책임한 행동입니다.

그리고 기대했던 것을 얻지 못할 수도 있다는 걸 잊지 말아야 합니다. 예를 들어, 미소 씨가 실습에 참여하기로 결정했어도 친구들은 미소 씨가 이런 고민을 했다는 걸 알 리가 없겠죠. 마음고생한 노고를 알아주기는커녕 당연하게 여길 확률이 높습니다. 또한 이후에 다른 상황에서는 친구들이 미소 씨를 거절하는 일이 일어날 수도 있습니다. 그럴 때 미소 씨가 자신의 선택을 후회하거나 속상해하지 않을 수 있는지 미리 생각해보는 게 좋겠죠.

또 미소 씨가 고민 끝에 실습에 참여하기로 마음먹었는데, 같은 조의 다른 친구가 실습에 참여하지 않을 수도 있습니다. 이때 자신의 감정이 어떨지, 실습에 참여하지 않는 친구의 감정에 공감할 수 있을지, 아니면 주현이를 뒷담화하던 친구들과 같은 마음을 가지게 될지 등을 생각해보세요. 그러고 나면 자신의 마음이 어떤지 좀 더 명확해질 거예요.

미소 씨가 어떤 선택을 하고 그 선택이 어떤 식으로 흘러가든, 다른 사람과 유대하려는 시도는 계속되었으면 좋겠습니다. 절박함이 아닌 포용의 의미로요. 사린 씨가 고생할 수 있다는 것을 알면서도 제사에 가지 않지만, 아까운 공연 티켓을 소중한 사람에게 주고 싶어 하는 혜린 씨의 마음처럼 말이죠. 시간이 지나 여러 가지 상황과 일이 쌓이고 쌓여서 결과적으로 좋은 관계를 유지할 수 있으면 너무 다행이고요. 관계의 지속 요건은 '함께하되 나로 있을 수 있는 여분의 공간을 마련하는 것'입니다. 미소 씨 마음 어딘가에도 이런 공간이 존재하기를 바랍니다.

사람들과 좋은 관계를 유지하기 위해 노력할 때 가장 우선인 건 자기 자신과의 관계를 잘 유지하는 것, 즉 스스로를 존중하는 것입니다. 누군가가 이 과정에서 미소 씨를 떠난다면, 그 사람은 어차피 언젠가 떠날 사람이었다는 것을 말해주고 싶어요. 그 사람이 떠난다고 해서 미소 씨에게 엄청나게 무서운 일이 일어나지도 않을 거고요. 그러니 저는 미소 씨가 좀 더 안심했으면 좋겠습니다.

결국 어떤 선택을 하더라도, 괜찮다.
삶은 계속될 것이고,
또 다른 새로운 기회가 주어질 것이기에.

친구가 낯설어요

오빠에게 선물 받은 호캉스 깜짝 이벤트

레드벨벳NONO! 샤넬벨벳YESYES!

아내들은 거들 뿐, 다운타운 주민끼리 바베큐 파티

최고의 스타트업 CEO + 여신 미모 선배 부부. 이런 완전체가 또 있을까!

승현 씨는 절친인 은원 씨의 인스타그램에 들어간 뒤 깜짝 놀랐다. 자신과 12년 지기가 맞나 싶을 만큼 친구의 게시물 성격이 결혼을 기점으로 확 달라졌기 때문이다. 원래 이런 방식으로 생활하던 친구였다면 놀라지 않고 오히려 '너의 삶을 사는 구나.'라고 생각하고 말았을 것이다. 그러나 승현 씨가 알던 은원 씨는 명품 같은 것에 전혀 관심이 없고 "왜 남자는 스펙이고, 여자는 외모여야 하냐."라고 말하며, 연애에서의 자기 주관이 뚜렷하던 친구였다. 지금 은원 씨의 인스타그램에는 남편에게 선물 받은 명품백과 자동차 사진이 가득하고, 부부 동반 모임 사진에는 각자의 남편이 얼마나 잘나가는지, 부인은 얼마나 예쁜지 서로 칭찬하는 댓글이 오간다. 달라진 친구를 승현 씨는 어떻게 받아들여야 할지 당혹스럽다.

"제가 은원이를 시기하고 있어서 이렇게 불편한 마음이 드는가 싶다가도, 내가 알던 은원이가 아닌 것처럼 느껴져 서운한 마음이 들어요. 그러다가 그깟 인스타그램이 뭐라고 이러는지, 그냥 제가 예민하게 느끼나 싶기도 하고요."

그런데 직접 만날 때의 대화도 인스타그램 내용과 비슷해지고 있다는 것을 느낀다. 은원 씨의 관심사가 완전히 다른 곳으로 옮겨 간 것이다. 평소 한번 인간관계를 맺으면 꾸준히 연락하고 소통하는 데 어려움이 없었던 승현 씨인데, 은원 씨를 만나는 시간이 점점 재미없어지고, 은근히 불편하기까지 하다. 은원 씨는 여전히 승현 씨를 가깝게 생각하고 좋아하는 것 같다. 남편 친구 중 학벌 좋고 잘나가는 사람을 소개시켜 주겠다며 나서기도 하고, 승현 씨가 결혼할 때 함께 혼수 구경하러 다니자고 제안하기도 한다.

승현 씨와 은원 씨가 속한 대학 친구 모임이 있는데, 다섯 명 중 나머지 세 명은 이미 은원 씨와 서서히 멀어진 것으로 보인다. 승현 씨와 은원 씨는 그중 제일 친했기 때문에, 영문도 모른 채 그 친구들을 보고 싶어 하는 은원 씨가 안됐다는 마음이 든다. 당분간은 은원 씨를 대하는 감정이 단순하지만은 않을 것 같다. 지금 임신 중인 은원 씨는 여전히 승현 씨에게 친근하게 연락을 하고, 자기 집에 또 언제 놀러 올 거냐고 묻는다.

승현 씨는 친구가 이렇게 변한 것이 친구의 잘못은 아니라고 생각한다. 사회 시스템도 한몫하고 있고, 어쨌거나 각자 원하는 방식의 삶을 살면 되는 거니까. 그런데 마음이 불편하다. 여전히 자신을 좋아하는 친구를 미워하는 마음이 자꾸 생기는 것 같아 죄책감도 든다. 승현 씨는 은원 씨와의 관계에서 잠시 휴식을 취하고 싶은데, 둘은 워낙 친했기 때문에 시시때때로 연락을 주고받게 된다. 아닌 척, 모른 척할 수 없을 정도로 관계의 거리가 가깝다.

불편한 것은 불편한 것이다

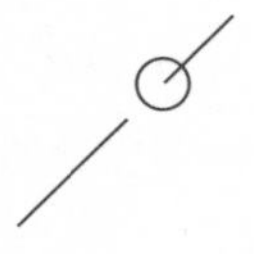

이런 상황, 저런 사정 다 봐가며 자신의 불편함을 덮고 넘어가려는 승현 씨에게, 친구에 대한 죄책감에 사로잡히기보다 그런 마음을 시그널로 바라보도록 노력하자고 말하고 싶습니다. 마음이 어느 정도 정리될 때까지 일단 은원 씨와 거리를 두는 것도 좋은 전략이고요. 안 그러면 '은원이는 아무렇지 않아 보이는데 나 혼자 그 친구를 미워하면 안 돼.', '다른 애들이 이미 멀어졌는데 나까지 보태면 은원이가 힘들 거야.'라는 생각이 온 마음을 지배해버려, 나의 다른 마음이나 감정은 제대로 돌보지 못할 수도 있으니까요. 이런 상태가 계속되면 나중에는 자신과 은원 씨 모두에게 도움되지 않을 겁니다.

상담을 하다 보면, “다른 사람과의 관계에서 불편함을 느끼지 않기 위해 멀어지는 게 낫나요?”라는 질문을 받을 때가 있습니다. 저는 스스로 편해질 때까지 관계를 묵혀두는 것도 나쁘지 않다고 말합니다. 감정을 회피하는 것과는 다른 의미인데요. 그냥 두어보는 것이죠. 아쉬운 마음이 큰데 성급히 결정하기보다는, 시간을 두고 지켜보면서 시간이 갈수록 후회하는 마음이 더 커지는지 아니면 작아지는지에 따라 결정하는 것이 낫거든요.

규범이 아닌, 사실로서의 감정

은원 씨가 여러 이유로 전과 다른 모습으로 변한 것은 사실입니다. 이로 인해 승현 씨가 은원 씨에게 서운한 것도 사실이고요. 그러나 친구의 삶을 우리가 전부 컨트롤할 수는 없는 일입니다. 승현 씨가 무작정 감정대로 행동하는 건 경계해야 하지만, 속상한 마음이 드는 건 어쩔 수 없는 것입니다. 감정은 사실이지, 규범이 되어서는 안 된다는 의미이죠.

감정을 규범으로 생각했다가는 '친구한테 그런 마음 가지면 안 되지.'라고 생각하면서 계속 상황에 끌려가게 될 수 있기 때문입니다. 그렇게 가랑비에 옷 젖듯 불편한 감정이 누적되고, 어느 순간 비가 한 방울 더 떨어졌을 때 갑자기 화가 날 수도 있습니다.

"아니, 얜 또 왜 이런 글을 SNS에 올리는 거야?"

평소에는 가만히 있다가 사소한 일에 갑자기 폭발해버리는 사람이 되어버리면, 상대뿐만 아니라 자신까지 억울해집니다. 그간 참아왔다는 사실을 상대가 알아줄 리 없고, 상대가 원하지도 않았는데 나 혼자 버티다가 화를 내는 것처럼 비치니까요. 결국 자신을 탓하며 체념하는 경우가 많습니다.

사소한 일에 폭발해버리는 사람이 되지 않으려면 감정 내성(affect tolerance)을 잘 관리해야 합니다. 감정 내성이 높을수록 본인이 느끼는 감정을 내면에 잘 담아둘 수 있고, 내면에서 일어나는 자극에도 유연할 수 있습니다. 감정 내성이 낮으면 그때그때의 감정만을 진실로 여기고, 감정이 시키는 대로 행동하지 않으면 안 될 것 같은 느낌에 압도됩니다. 여기까지 설명했을 때 참을성이 없는 사람이 감정 내성이 낮은 것처럼 느껴질 텐데요.

현실에서는 상대에게 너무 맞추면서 참는 사람, 잘 지내는 것처럼 보이다가 갑자기 욱하거나 손절하는 사람이 감정 내성이 낮은 경우가 많습니다. 이런 사람은 자신이 부정적인 감정을 느끼는 순간 압도되어 즉각적으로 행동할까 봐 걱정합니다. 그래서 부정적인 감정을 느낀다는 사실을 무의식에서 부인해버리죠. 그런 감정이 처음부터 없었던 것처럼 말입니다. 그러나 그 순간에도 감정은 마치 구멍 없는 압력밥솥 안에 있는 것처럼 꾹꾹 쌓이고 있기 마련입니다.

본인이 부정적 감정을 느끼고 있다는 것을 부인하는 행동은 스스로를 보호하기 위한 하나의 방법입니다. 감정에 휩쓸려 후회할 만한 행동을 해버릴까 봐 두렵기 때문이죠. 이 방법을 쓰는 순간에는 위기를 모면할 수 있습니다. 다만, 다른 사람과의 관계에서 항상 이 방법만을 사용하면 누적된 감정이 안으로든 밖으로든 파괴적으로 나오게 되고 맙니다.

그러니 감정은 유예하지 않고 느끼되, 감정의 처리는 유예하세요. 물론 쉬운 일은 아닙니다. 그렇기에 많은 사람이 그때그때 인식하고 지켜봐주어야 할 감정을 미루다가, 임계치를 넘은 순간 한꺼번에 느끼면서 즉시 처리하게 되는 것이죠.

감정 처리를 유예하는 힘

감정을 유예하지 않되, 감정의 처리를 유예하려면 어떻게 해야 할까요? 어떤 감정을 느끼는지, 그것이 서운함이든 시기심이든 그저 '사실'로 바라보려고 노력해야 합니다. 이때 부정적 감정에 규범적 기준이 겹쳐 수치심이나 죄책감이 들어 괴로울 수 있습니다. 이것은 자신의 부정적 감정에 따라오는 이차적인 감정인데요. 이런 감정에 대해서도 '친구의 저런 모습이 싫다는 마음이 들어. 그리고 그 마음에 대해, 친구를 미워하면 안 된다는 생각이 올라오면서 죄책감이 들어.'라고 들여다보는 작업이 도움이 됩니다.

물론 처음부터 잘되지는 않을 거예요. 감정을 발견하는 일부터 몹시 어렵겠죠. 하지만 반복해보면 조금씩 나아질 거예요. 혼자 하기 어렵다면 상담 등의 도움을 받으면서 시도해봐도 좋습니다. 감정을 역순으로 들여다보는 방법도 있습니다. '뭔가 불쾌하고 나 자신이 혐오스럽다는 감정이 들어. 왜 그럴까. 뭔가가 부끄럽다. 왜 그럴까. 친구에게 거부감이 들기 때문인 것 같다. 그건 왜 그럴까….' 같은 식으로요.

이런 작업은 다양한 감정을 느끼는 일을 두려워하지 않고, 자신 안에 존재하는 여러 감정들에 골고루 귀 기울일 수 있게 해줍니다. 또한 감정과 행동 사이에 적절한 거리를 둘 수 있는 힘이 생기게 됩니다. 감정을 느끼는 즉시 행동으로 옮기거나, 외면하고 쌓아뒀다가 뒤늦게 스스로도 당황할 만한 행동을 하는 상황을 줄여주는 것이지요. 감정을 바로 행동으로 옮기지 않는다고 해서 감정을 존중하지 않는 것은 아닙니다.

불편한 감정을 그대로 느끼기 시작하면 마음이 불편한 근본적인 이유들을 찾는 데에 도움이 될 수 있습니다. 친구의 달라진 모습이 안타깝고, 달라진 모습 때문에 친구와 어색해진다면 누구나 서운함을 느낄 수 있습니다. 그런데 특정한 주제나 사람에 대해 유독 더 강하게 느껴진다면 특별히 더 잘 살피고 들여다봐야 합니다. 가령 A라는 친구에게는 강렬한 감정이 들지 않는데, B에게는 강렬한 감정이 느껴지는 것이죠. 이때 감정을 잘 살피면 자신의 소망과 들여다봐야 할 욕구를 발견하게 될 수도 있습니다.

승현 씨에게 은원 씨는 다른 친구들보다 공감대를 더 자주 형성했던 친구였을 수 있습니다. 그래서 은원 씨에 대한 기대가 다른 사람들에 대한 기대보다 더 컸을지도 모릅니다. 앞으로도 그 기대가 계속 채워질 것이라고 믿었기에 이번 일이 더 특별하게 느껴졌을 수 있죠.

그때 그 모습의 친구와 그 시절의 나를 잃었다는 생각이 승현 씨를 더 아프게 한 것일지도 모릅니다. 이렇게 자신의 감정, 욕구, 소망이 어떤 것인지를 정확히 이해할수록 그 감정들을 어떻게 다룰 수 있을지에 대해 더 많은 단서를 얻을 수 있습니다.

관계에 임시 보관함이 필요한 이유

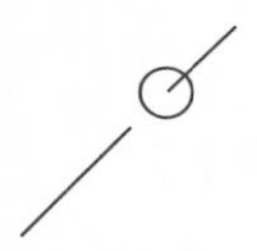

우리는 종종 곤란한 감정과 복잡한 관계 안에서 괴로워하는데요. 이때 마음 안에 '임시 보관함'을 만들어두는 것을 추천합니다. 우리는 어떤 상황에서 곤란할 때, 아무것도 결정되지 않은 모호한 느낌이 싫어서 섣불리 일을 처리할 때가 있습니다. 시간이 지난 뒤에 그때의 결정을 아쉬워하거나 후회할 때도 많죠. 그럴 때 모호한 상태를 그대로 받아들이는 영역을 만들어두면 숨통이 좀 트일 수 있습니다.

승현 씨의 경우도 마찬가지인데요. 은원 씨와의 관계를 임시 보관함에 두고 관계를 이어가는 것도 염두에 두었으면 좋겠습니다. 둘 사이만 놓고 보았을 때는, 아직 어느 한쪽이 다른 한쪽에게 일방적으로 감정 해소를 하는 관계는 아닌 것 같아요. 착취-피착취 관계 같은 해로운 관계라고 결론내리기에는 애매한 면이 있습니다. 나머지 세 명의 친구들이 은원 씨에게서 멀어진 이유야 물론 있겠지만, 그게 두 사람의 관계를 판단하는 무조건적인 근거는 될 수 없어요. 아직은 시간이 더 필요해 보입니다.

임시 보관함에 두고 시간이 지나면 관계의 방향이 분명해질 수 있습니다. 은원 씨의 삶의 방식이나 태도가 다시 변할 수도 있고, 은원 씨가 그대로여도 승현 씨가 그런 은원 씨를 점차 편하게 대할 수 있게 될지도 모릅니다. 반대로 은원 씨가 자신의 방식을 승현 씨에게 자꾸 강요한다거나, 과시의 대상으로만 여길 수도 있는데요. 이러한 것들이 더 분명해질 때까지 일단은 기다려보았으면 합니다.

억지로 참으면서 고통스럽게 기다리라는 뜻은 아니에요. 임시 보관함에 둔 상태에서 심리적인 거리를 두는 것만으로는 힘들다면, 물리적인 거리를 두는 방식도 필요합니다. 은원 씨와 접촉하는 시간과 에너지의 할당량을 정해보는 것이죠. 한 달에 한 번 본다든지, 세 달에 한 번만 본다든지 정해두는 것이죠. 그리고 함께하는 시간 동안에는 은원 씨에게 어떤 느낌이 드는지 승현 씨 자신의 마음을 계속 관찰해보는 거예요.

시간과 에너지를 줄여서 만나는 일조차 힘들게 느껴진다면 일시 정지 상태로 임시 보관함에 두는 방법도 있습니다. 그런데 연애 관계와는 달리 친구 관계의 경우 잠시 시간을 갖자는 말을 꺼내기가 다소 어색할 수 있어요. 그럴 땐 그냥 일이 너무 바빠졌다는 다른 핑계를 대도 됩니다. 잠시 쉬는 시간을 확보하는 것이 목적이지 내 입장을 친구에게 하나부터 열까지 있는 그대로 투명하게 전달해야 할 필요는 없으니까요. 진심을 있는 그대로 정직하게 풀어서 설명하면 내 마음을 이해해줄 거라는 태도는 이해의 책임을 은원 씨에게 떠넘기는 행위가 될 수 있습니다.

자기 자신을 위해 무언가를 감수한다는 것

이때 승현 씨가 원하는 딱 그만큼의 거리를 잘 유지하면서 상대의 부정적 반응을 하나도 받지 않는 게 가장 좋겠지만, 그렇지 못할 경우도 충분히 염두에 두어야 합니다. 관계에 변화를 주는 행위를 할 때 우리는 이로 인해 생기는 오해나 비난을 수용할 수 있어야 합니다. 예를 들어, 바빠서 자주 만나기 어렵다는 얘기를 했을 때 마주하게 될 상대의 반응마저 우리가 통제할 수는 없는 것이지요. 상대는 자기 마음대로 우리를 오해할 수도 있고, 서운한 마음에 먼저 떠나갈 수도 있습니다. 아니면 변화를 받아들이지 못하고 계속해서 집요하게 지금 이대로의 관계를 유지하기를 바라며 매달릴 수도 있지요.

그렇기에 우리는 무엇을 통제할 수 있고 통제할 수 없는지를 구별해야 합니다. 관계는 둘이서 만들어가는 것이므로, 임시 보관함에 넣은 상태를 어느 한쪽이 받아들이지 못해서 유지하기 어려워지면 결국 둘 사이가 멀어지게 될 수도 있습니다. 그렇게 되면, 승현 씨는 무척 속상하겠지요. 그러나 살면서 원하는 모든 걸 할 수는 없습니다. 이 사실을 인정해야 자신을 제대로 위하는 선택을 내릴 수 있어요.

만약, 승현 씨가 은원 씨와의 관계를 계속 지속하기로 결정한다면, 그 이유는 반드시 자신을 위한 것이어야 합니다. 마음이 불편한데도 함께하는 건 은원 씨와의 관계가 주는 즐거움이나 유대감 때문이어야 하는 거죠. 은원 씨가 임신 중이라, 다른 친구들과도 멀어졌으니 안쓰러워서, 즉 '나를 희생하더라도 은원이를 위해서' 만나는 마음이라면, 그 마음이 보상받지 못했을 때 승현 씨 마음이 갈 곳을 잃을 테니까요.

이런 마음을 은원 씨가 알아준다는 보장도 없고요.

승현 씨가 은원 씨를 배려하기로 마음먹더라도 그건 승현 씨의 선택입니다. 친구를 속상한 상태로 두고 싶지 않아서 한 선택이라면 그것만으로 목적이 달성된 것이므로 만족해야 합니다. 은원 씨가 이를 눈치채고 고마워하거나, 앞으로 다른 상황에서 나를 서운하게 하지 않는 건 당연히 따라와야 하는 결과가 아닙니다.

그러니 자신을 위한 대략적인 한계선을 미리 정해보세요. 예를 들어 은원 씨가 자신의 삶을 전시하는 것까지는 지켜보되, 자신의 방식을 강요한다거나 은원 씨의 자신감을 높이기 위해 본인을 활용한다는 느낌이 들면 거리를 새롭게 설정해 보는 것이죠.

chapter 6

착한 아이 콤플렉스에서 벗어나고 싶어요

"처음에 네가 좋다고 해놓고 왜 이제 와 딴소리야. 착한 척은 엄청 해, 하여간."

로은 씨를 공격한 사람은 언니 로희 씨다. 가족, 친척들과 다 함께 여행을 가기로 했는데 처음에는 이 모든 계획을 로은 씨 혼자 짜기로 했다. 다들 바빠 보이기도 했고, 누군가에게 부탁하느니 혼자 계획을 짜는 게 모두를 위해서 괜찮겠다고 생각했기 때문이다. 그런데 막상 해보니 혼자서는 도저히 무리였고, 따로 단체 채팅방을 만들어 언니와 사촌들에게 도움을 청했다. 그런데 로희 씨가 여기에 발끈하면서 단체방에 상처가 되는 말을 남긴 것이다.

평소에도 둘은 사이가 좋지 않다. 부모님은 한국에서도 아들과 딸의 차별이 상대적으로 더 심한 지역 출신으로, 아들을 낳지 못한 한을 두 딸을 경쟁시키는 방식으로 풀었다. 어릴 때도 친척들로부터 아들 몫 해야 한다는 말을 귀에 딱

지가 앉을 만큼 들었다. 둘째 딸 로은 씨는 부모님 말을 잘 따르는 편이었지만 큰딸인 로희 씨는 그렇지 않아 부모님과 자주 부딪히며 버릇없는 애, 기가 센 애라는 구박을 많이 들었다. 부모님은 공부를 잘하는 로희 씨에게 법조인이 되라고 했지만, 로희 씨는 디자인을 전공했다.

부모의 모든 기대는 둘째 딸인 로은 씨에게로 완전히 넘어가게 되었다. 로은 씨는 부모의 바람대로 법대에 진학해 로스쿨을 준비하고 있다. 문제는 로은 씨에게 심경의 변화가 생기면서 언니와의 갈등이 커지고 있다는 데에 있다. 로은 씨는 법대 진학으로 집안의 평화를 지켰지만 자신의 평화는 지키지 못했음을 뒤늦게 깨달았다. 법조인이 아닌, 다른 꿈을 가질 수 있다는 생각이 고개를 들기 시작한 것이다. 이런 마음을 처음 언니에게 털어놓았을 때 로희 씨는 로은 씨에게 다음과 같이 쏘아붙였다.

"넌 항상 이런 식이야. 처음엔 엄마, 아빠가 원하는 대로 하겠다고 해서 관심과 사랑을 다 받아. 그래 놓고 중간에 말을 바꿔. 처음부터 착한 척하지 말고 네 인생을 살지 그랬니. 이제 와서 네가 그만둔다고 하면 엄마 아빠가 뭐라고 할까. 나까지 닦달하면서 동생 좀 말리라는 둥 뭐라고 하지. 이번 방학 때 집에 안 가. 네가 알아서 해."

이 대화가 있은 후 로은 씨는 억울함과 분노, 죄책감이 뒤섞인 감정으로 힘들다.

"제가 변덕을 부려 부모님뿐만 아니라 언니에게 피해를 주게 된 상황이에요. 착한 여자 콤플렉스로 인해 여러 사람이 피해를 본다는 생각에 자책을 하다가도, 언니가 부모님 뜻대로 살지 않아 내가 짐을 더 떠맡았는데 왜 그건 시치미 떼는 건지 화가 나기도 해요."

로은 씨는 자신이 진로를 바꾸고 싶다고 했을 때 부모님이 그동안 뒷바라지한 것에 대한 비난을 할까 봐 두렵기만 하다.

가족이 상처를 준다면

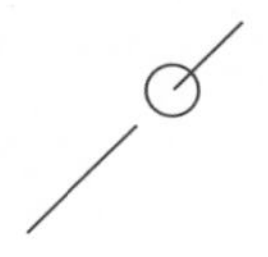

앞서 나온 로은 씨의 사례와 앞으로 살펴볼 7장과 12장에서는 가족 내에서 겪는 고민을 다룹니다. 여기서 말하는 가족은 각자가 태어나고 자라는 동안 함께 살았던 사람들, 그리고 사정상 함께 살지 못했던 사람 모두를 말합니다. 어떤 사람은 자신이 가족에게서 부정적인 영향을 받았다며 원망하고, 어떤 사람은 가족이 현재 자신에게 아무런 영향을 주지 못한 것처럼 여기기도 합니다.

그러나 좋든 싫든 우리는 성장 환경으로부터 어마어마한 영향을 받습니다. 갓 태어났을 때를 떠올려볼까요? 우리는 모두 누구의 자녀로 태어날지 선택하지 못한 채 세상에 나왔습니다. 갓난아이인 당신을 부모가 그대로 두고 가면 죽을 수밖에 없습니다. 그렇게 꽤 오랫동안 선택권이 없는 채로 주어진 환경에서 살아남아야 합니다. 그때 당신을 둘러싸고 있는 환경은 몇 명의 사람들이 전부죠. 먹이고, 입히고, 재우고, 당신에게 반응하는 것 모두 가족이 주도합니다.

우리는 가족의 반응을 통해 아주 어릴 때부터 세상이 어떤 곳인지, 그리고 나 자신은 어떤 사람인지 상상합니다. 세상은 당신에게 편안한 곳이면서도 기쁨과 슬픔이 많은 곳일 수 있고, 언제 어디서 나를 위협할지 모르는 곳일 수도, 믿을수록 손해 보는 곳일 수도 있습니다. 나라는 사람은 타인에게 기쁨과 슬픔을 줄 수 있는 사람일 수도 있고, 아무런 영향을 주지 못하는 무력한 사람일 수도, 타인을 불행하고 화나게 하는 사람일 수도 있지요.

이렇게 서서히 양육자와 상호작용하면서 당신의 성격과 가치관이 만들어집니다. 그러다 바깥세상과 소통하면서 가치관이 더 강화되기도 하고, 반대로 그 가치관에 대항하는 정체성을 발달시키기도 합니다. 이때 가족 안에서 살아남고 인정받기 위해 동원했던 생존 방식을 외부 세계에 적용하는데, 어떤 피드백을 받느냐에 따라 결과가 달라집니다. 예를 들어, 가족 갈등이 있을 때마다 칭찬이나 비난을 받는 행동을 해서 자신에게 관심을 쏠리게 하여 원래의 갈등을 모두가 잊게 하는 역할을 했던 사람이 있다고 해볼까요? 그는 외부 세계에서도 갈등 상황에서 유사한 방식으로 해결하려 할 겁니다. 그렇게 해서 좋은 반응을 얻으면 자주 그렇게 갈등을 해결할 테고, 나쁜 반응을 얻으면 다른 방법을 찾거나 자신을 평가 절하할 수도 있습니다.

여기서 중요한 건 어찌 됐든 가족이 개인에게 영향을 준다는 사실입니다. 현재 나의 생각과 감정, 대처 방식이 가족의 영향을 받았다는 걸 인정하는 일이 누군가에게는 어려운 일일 수 있습니다. 이유는 다양합니다.

- 스스로에게 핑계를 주는 것 같아서
- 가족을 나쁘다고 말하는 것만 같아 미안해서
- 자신의 서사가 너무 단순하게 해석될까 봐 두려워서
- 누군가에게서 영향받았다는 사실이 자신이 약하다는 뜻처럼 느껴져서
- 인정하는 순간 그에 따르는 불편한 감정을 어떻게 다뤄야 할지 몰라서

우리는 가족에게서 받은 자극을 컨트롤할 수 있어야 합니다. 그러기 위해서는 자신이 어떤 영향을 어떤 방식으로 받았고 또 자신은 가족에게 어떤 영향을 주었는지를 제대로

파악해봐야 합니다. 제대로 직시해야 오히려 자유로워질 수 있습니다.

이 책에 나온 가족 사례보다 더 극단적인 형태의 가족을 경험한 사람이 많을 거예요. "사연 없는 집이 어디 있어요.", "다들 조금씩은 어릴 때의 상처가 있잖아요."라고 말하는 사람도 있겠죠. 그러나 다들 그런 상처를 받았다고 해서, 그리고 나보다 더 심각한 상처를 받은 사람이 있다고 해서 내 상처가 사라지는 것은 아니거든요. 그러니 책에서 다루는 사례와 저의 심리적 대안을 잘 소화시켜 본인의 상처를 보듬어주는 계기를 마련하면 좋겠습니다.

착한 사람의 딜레마

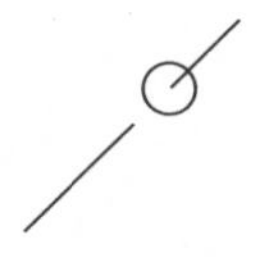

“너는 참 착해!”라는 말은 겉으로는 긍정적으로 보이지만, 듣는 사람에 따라 두 가지 의미로 해석될 수 있습니다. ‘나를 좋게 봐주네.’라고 생각하는 사람도 있겠지만, ‘나는 그렇게 착한 사람이 아닌데, 나를 오해하고 있네. 나중에 내게 실망하면 어떡하지?’ 또는 ‘나를 호구로 보는 건가?’라고 생각하는 사람도 있겠죠. 착하다는 말은 상황에 따라 여러 뜻으로 쓰이지만, 언제부턴가 자기 의견을 내세우기보다는 타인의 기대나 기분에 맞춰준다는 의미로 많이 사용하는 것 같습니다.

착하다는 말을 많이 듣는 사람의 행동은 자발적인 것처

럼 보인다는 특징이 있습니다. 싫은데 억지로 하는 티가 나는 순간 착하다는 말을 들을 수 없으니까요. 기꺼이 한다거나 좋아서 해야만 착한 행동인 것이죠. 여기서부터 좀 꼬이기 시작하는데요. 상대가 덜 미안해할수록, 그러니까 '재는 정말 이게 괜찮아서 해주는 거겠지.'라고 생각할수록 착한 행동인데, 그러면 사람들은 정말로 당사자가 괜찮은 줄 아는 거죠.

착한 행동을 하는 사람도 점점 헷갈리기 시작합니다. 뭔가 기분은 나쁜데, 따지고 보면 누가 강제로 시킨 것은 아니다 보니 누구를 추궁해야 할지 갈피를 잡지 못하는 겁니다. 때로는 자신이 어느 정도까지 괜찮고 어느 정도부터 싫은 건지도 혼란스럽습니다. 결국 마지막으로 화살이 향하는 곳은 또다시 자기 자신이 되어버립니다. 자신이 착한 사람 콤플렉스에 빠져 있다고 생각하는 로은 씨처럼 말이죠.

착할 수밖에 없었던 이유

저는 로은 씨가 스스로 문제가 있다고 생각하기 전에 '내가 고생하고 애쓰긴 했지.'라는 말 정도는 꼭 해주었으면 좋겠습니다. 다른 사람의 감정과 욕구를 민감하게 감지하고, 집안에서의 갈등을 줄이기 위해 애쓴 대가가 고작 이거라고 해서, 애쓴 것을 언니가 몰라주고 오히려 비난한다고 해서 자신이 애쓰지 않은 것은 아니니까요. 앞으로의 고민은 자신이 애썼다는 사실을 일단 인지하고 나서 시작했으면 합니다. 자신을 몰아붙인 상태에서 고민을 시작하면 좋은 답이 나올 수 없습니다.

그다음에는 지금 느끼는 고통과 딜레마의 배경을 살펴보아야 합니다. 자신이 이럴 수밖에 없었던 이유를 되짚어보는 건 현재를 정당화하는 행위나 핑계와는 다른 것이에요. 로은 씨 가족 내에서 언니의 단호함과 결단력, 자기주장은 독려받지 못했어요. 오히려 위험하게 여겨지고, 사랑받지 못할 만한 단점으로 취급됐죠. 사회에서 원하는 착하고 지혜로운 여성이 아닐 때, 호전적이라거나 드세다는 피드백을 받는 것처럼요.

이런 가족 분위기에서 로은 씨는 할 수 있는 게 별로 없다고 느꼈을지 모릅니다. 언니보다 사랑받고 싶다는 이유 외에도 로은 씨가 착한 딸이 되기로 마음먹을 만한 이유는 많았을 거예요. 가족에게 비난받거나 버림받지 않기 위해서였을 수도 있고, 가족 안의 갈등을 줄여 불안을 덜고 싶었을 수도 있습니다. 이 모든 게 복잡하게 얽혀 있을 수도 있고요.

자신도 모르게 자리 잡고 있었던 기대

"언니가 부모님이 바라는 대로 살지 않아서 제게 그 짐이 떠맡겨진 측면도 있는데, 언니는 그걸 알아주지 않아요."

로은 씨는 자신과 비교되며 더 많이 지적받았던 언니에게 죄책감이 있습니다(참고로 죄책감은 실제로 잘못이 있는지와는 별개의 감정입니다). 또 한편으로는 자신의 희생을 인정해주지 않는 언니에게 서운한 마음도 가지고 있죠. 가족이라는 울타리 안에서 언니와 로은 씨가 받은 상처가 서로를 겨누게 된 것에 마음이 아픕니다. 로은 씨는 자신 때문에 언니가 더 비난받는 걸 바란 적은 없지만, 자신의 희생을 언니가 인정해주기를 바라는 마음은 가졌던 것 같습니다.

로은 씨의 기대가 나쁜 것은 아닙니다. 단지, 지금 언니에게는 로은 씨의 이러한 마음을 헤아릴 만한 여유가 없어 보입니다. 언니는 언니대로, 로은 씨는 로은 씨대로 시간이 필요해 보여요.

그럼 로은 씨는 언니가 마음을 알아줄 때까지 기다려야

만 할까요. 당연히 그렇지 않습니다. 로은 씨 스스로 지금 내가 가장 원하는 것이 무엇인지, 그러기 위해서는 무엇을 거절해야 할지 고민해야 합니다. 거절을 못 한다는 것은 내 삶의 우선순위에서 덜 중요한 것들에만 헌신함으로써 결과적으로 삶의 효율을 떨어뜨리는 일이 될 수 있으니까요.

내 몫의 거절 분량을 채울 것

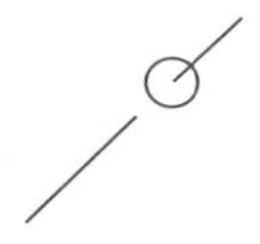

'아, 시간 안 된다고 거절을 했어도 되는데….'

'30분 이상은 늦지 말라고 요구했어야 했는데….'

'내 진로는 내가 정하고 싶다고 말했어야 했는데….'

마음속으로 이렇게 생각하면서도 상대에게 차마 말하지 못해 답답한 경험이 누구나 있을 거예요. 인간관계에는 항상 내 몫의 거절 분량이 있는데요. 내가 상대에게 해야 할 거절 분량이 50퍼센트라면 적어도 30퍼센트 정도는 채워야 상대와 균형을 잡을 수 있습니다.

내 몫의 거절을 하지 않으면 상대가 관계에서의 거절 분량을 거의 다 써버리겠죠. 상대가 처음에는 안 그랬는데 점점 자기 위주로 행동한다면 내가 필요한 만큼의 거절을 했는지 점검해보아야 합니다. 만약 그러지 않았다면 지금부터 자신의 거절 분량을 조금씩 늘려보세요. 진정한 의미의 착한 사람은 무조건 참거나, 눈치를 살피며 자신의 의견을 단념하는 사람이 아니에요. 타인과의 관계에서 자신이 어디까지 원망하지 않고 감당할 수 있는지를 정확히 파악하고 표현할 줄 아는 사람입니다.

이렇게 되려면 어떤 방식으로든 반드시 거절할 줄 알아야 합니다. 거절은 내가 중요하게 여기는 대상을 내쫓는 데에 목적이 있는 것이 아니라 그 관계를 건강하게 지키는 데에 있다는 사실을 명심해주세요. 이것을 기억한다면 '거절=나쁜 사람이 되는 것'이라는 공식에서 벗어날 수 있습니다. 저는 이를 두고 '거절의 선한 목적'이라고 이야기합니다. 거절에 대한 감수성을 바꾸면 여러 상황에 맞는 다양한 역할을 소화하며 사회생활을 해나갈 수 있어요.

불쾌한 감정도 내 것이다

하나의 역할로만 사는 것 못지않게, 기존 역할에서 벗어나는 것도 꽤 힘든 일입니다. 막연한 두려움과 마주해야 하기에 괴로움이 따르거든요. 이처럼 A를 B로 바꾸고자 할 때 드는 물리적, 심리적 비용을 전환 비용이라고 합니다. 이는 자신을 보호해주는 것처럼 보이지만 실제로는 아닌 것, 또는 어렸을 때 살아남기 위해 택했던 보호 장치지만 이제 필요하지 않은 것을 버리고, 진정으로 자신을 보호해줄 것을 선택하는 데 드는 비용이기도 합니다. 이 과정에서 쾌와 불쾌의 감정을 동시에 느낄 수 있는데요. 저는 여러분이 즐거우면서도 두려운 이중적인 상황을 통째로 끌어안아 보았으면 좋겠습니다.

쾌: 현재의 궤도에서 수정된 궤도로 비행하기 → 기쁨, 설렘, 자부심

불쾌: 이 과정에서 따라오는 비난 감수하기(전환 비용) → 긴장, 두려움, 죄책감

많은 사람이 긴장이나 불안, 분노와 같은 불쾌한 감정은 최대한 멀찍이 두려고 합니다. 사람이라면 당연한 반응이지만, 지금부터는 '어떻게 하면 불쾌한 감정이 오지 않을 수 있을까?'에서 '어떻게 해야 불쾌한 감정을 안전하게 안을 수 있을까?'로 고민의 방향을 조금 틀어보면 좋겠습니다. 쾌의

감정은 유익하고, 불쾌의 감정은 해롭기만 하다는 이분법적 인 생각은 우리가 감정을 풍부하게 느낄 수 없도록 만들어 결과적으로 삶의 폭을 제한합니다.

불쾌의 감정이 다가올 때 적극적으로 결과를 상상해 보는 일도 도움이 됩니다. 예상되는 온갖 결말 속에서도 자신이 여전히 살아남아 빛나고 있는 모습을 상상해보세요. 그러면 조금은 쉽게 이중적인 상황을 끌어안을 수 있을 거예요.

로은 씨가 진로를 변경하는 선택을 하는 것에는 언니나 부모와의 관계에서 파생되는 불편한 감정을 겪는 일이 함께 포함되어 있다는 사실을 기억했으면 합니다. 가족은 현재의 패턴에 익숙한 상태이며, 변화의 필요성을 느끼는 쪽은 그들이 아니라 로은 씨이기 때문입니다. 명심하세요, 상황을 변화시킬 수 있는 열쇠는 오로지 자신에게 있습니다.

기대하지 말아 달라는 기대

지금 로은 씨는 가족이 자신에게 어떠한 기대도 하지 않았으면 하는 마음이 큽니다. 어쩌면 예전부터 그랬던 것인지도 모릅니다. 그러나 로은 씨의 부모님은 자신들의 기대를 철회할 생각이 없을 것입니다. 이제 선택의 주체는 바로 로은 씨 자신입니다. 여기서부터 문제를 풀어가야 합니다. 이제는 새로운 차원으로 자신을 데려가야 합니다.

사실, 저는 로은 씨가 지금 이런 고민을 하는 게 참 다행이라고 생각합니다. 10년이나 20년 뒤에 하는 것보다는 지금이 나으니까요. 고민 끝에 다시 원래의 위치로 돌아와 로스쿨을 준비하기로 결정해도 괜찮습니다. 다만, 다시 로스쿨을 선택했다면 '이 길을 갔을 때 따라올 불만족에 대해 가족이 아무런 책임을 지지 않아도 나 자신이 괜찮을지?'에 대한 답을 스스로가 가지고 있어야 합니다.

로은 씨 부모님이 두 딸에게 아들의 역할을 강요하며 경쟁시킨 배경에는 개인의 요인과 사회적 맥락이 함께 작용했을 것입니다. 장녀로서 부모님의 압력을 받던 언니가 자신이 원하는 방식대로 살기를 택했지만 거기에 따르는 고통 역시 컸을 것이고요. 그 감정 중 많은 부분이 안타깝게도 로은 씨에게로 향했습니다. 로은 씨가 이 얘기를 언니에게 한다고 해서 언니가 자신의 생각을 바로 수정할 리는 없습니다. 중요한 건, 적어도 로은 씨 자신만큼은 언니에게서 받은 원망이 진짜 자신의 몫이라고 믿어버려서는 안 된다는 사실입니다.

이제는 내가 나를 키워야 할 때

부모님과 언니의 갈등을 중재하던 로은 씨는 집안의 평화를 위해 로스쿨을 준비합니다. 집안의 모든 기대와 사명을 떠맡게 되면서 덤으로 언니의 미움까지 얹어서 받게 되지요. 로은 씨가 참 억울하겠다는 생각이 듭니다. 이 모든 것이 이루어지는 과정에서 로은 씨는 어렸고, 실질적인 영향력을 행사하기에 어려움이 컸을 거예요.

우리는 로은 씨에게 어떤 내면의 목소리가 자리 잡게 되었을지를 생각해볼 필요가 있습니다. 많은 사람이 양육자를 원망하면서도, 자신도 모르게 닮아갑니다. 어릴 때 내면에 들어온 양육자의 목소리는 성인이 되어서도 여전히 영향력을 행사합니다.

자신을 위한 결정을 하기 위해서는 일단 자신의 마음이 어떤지 알아보는 작업을 해야 합니다. 그런데 진짜 마음을 들여다보는 일이 어려운 이유는 여전히 마음속에 양육자가 자리하기 때문입니다. 진짜 감정에 대해 궁금해하는 대신 왜 그러는지 실토하라는 양육자의 목소리를 듣다 보면, 그냥 그 말을 따르게 되거나, 또는 따르지 않으려는 자신을 쉽게 비난하게 됩니다. 만약, 이런 상황 때문에 자신의 마음을 파악하기 어렵다면 아래와 같이 하기를 권합니다.

1단계: 자신에게 가장 상처 되는 양육자의 말 떠올려보기

2단계: 좋은 양육자라면 그 말 대신 어떤 말을 해주었을지 상상해보기

위와 같은 방식으로 접근하면 (적어도 이 방식을 시도해보지 않는 것에 비해서는) 진심을 꺼내놓는 게 수월해질 겁니다. 이제는 자신이 스스로를 양육해야 합니다. 진심을 다해 걱정하고 궁금해하면 어느 순간 자신의 마음을 편하게 꺼내놓을 수 있습니다. 자신의 진짜 감정과 욕구, 두려움 등을 제대로 들여다보는 목적을 이루기 위해서는 거친 바람이 아닌 따뜻한 태양이 필요합니다.

2부

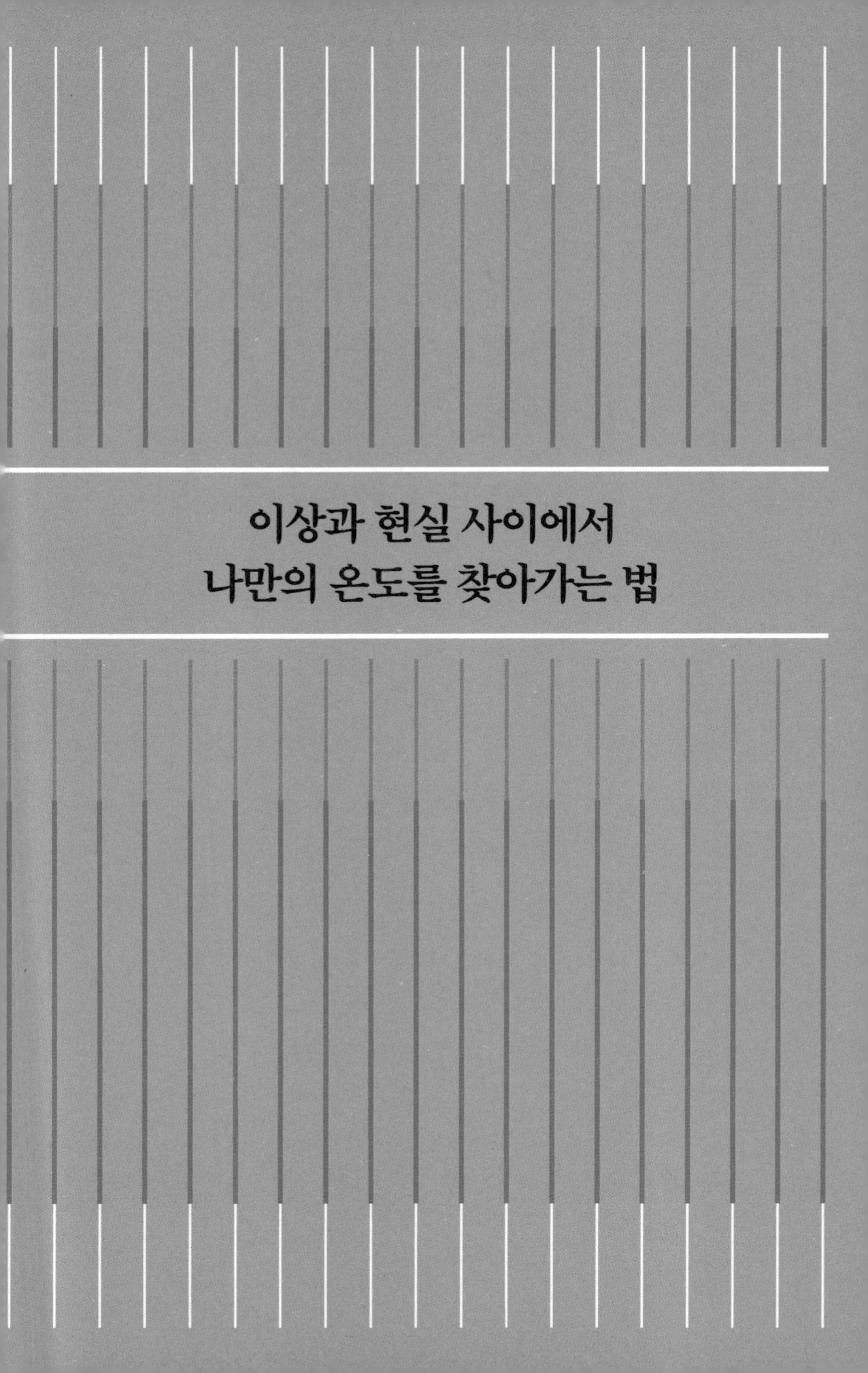
이상과 현실 사이에서
나만의 온도를 찾아가는 법

chapter 7

남동생과 차별하는 엄마가 미워요

"동생은 남자니까 외박도 하고 그럴 수 있지. 넌 여자애잖아."

"엄마는 왜 성곤이에게는 찍소리도 못 하면서 나한테는 말을 함부로 하는 건데?"

"지금 네 태도를 봐. 그게 어른 대하는 태도니? 이래 가지고 나중에 누가 널 데려가니."

"그래서 결혼 안 하고 혼자 살려고. 나중에 나도 엄마 닮아서 아들딸 차별하면 어떡해? 아예 안 해야지."

"김지혜, 너도 이 집 사람들처럼 엄마 무시할 거면 나가서 혼자 살아."

"알았어. 그렇게 하려고 아르바이트 열심히 하고 있잖아. 성곤이한테는 절대 안 시키는 아르바이트!"

"왜 말끝마다 성곤이를 걸고 넘어져. 지금 네 이야기를 하는데…."

"엄마가 그렇게 만들었잖아."

엄마랑 싸웠다 하면 끝장을 보는 지혜 씨는 오늘도 눈이 퉁퉁 부었다. 누구보다 엄마에게 사랑받고 싶지만, 한번 싸웠다 하면 다시는 안 볼 사람처럼 구는 자신이 밉기도 하다.

정작 동생은 집에서 특별히 누군가와 싸울 일 없이 평화롭다. '곤'이라는 돌림자를 물려받은 두 살 차이 남동생 성곤 씨는 말수가 별로 없는 편이고, 딱히 자신이 혜택을 더 받겠다고 주장한 적도 없다. 어쩌면 굳이 주장할 필요가 없는 건지도 모르겠다.

"『우리에겐 언어가 필요하다』라는 책에 교양 있게 말하는 사람은 기득권이라서 그럴 수 있다는 내용이 나오는데, 그걸 보는 순간 우리 집 얘기라는 생각이 들었어요."[6]

학창 시절에 지혜 씨가 학원에 가려면 몇 날 며칠을 졸라 겨우 학원비를 받아냈는데, 동생 성곤 씨는 스스로 딱히 요구한 적도 없지만 안 받아본 과외가 없다.

"아빠 직장 때문에 저희 둘 다 전학을 갔는데 동생이 적응을 못 하면서 성적이 떨어지기 시작했고, 저는 오히려 성적이 확 올랐어요. 결과적으로 제가 훨씬 좋은 대학에 들어갔어요. 그런데 엄마는 제가 동생의 성과를 빼앗았다고 생각해요. 제가 대학 갔을 때는 사람들한테 별로 자랑도 안 하더니, 동생이 대학 갈 때는 저보다 더 별로인 학교인데도 친척들한테 전화 다 돌리고 난리도 아니었죠."

부모님은 지혜 씨가 반장을 했을 때보다 성곤 씨가 선도부를 했을 때 훨씬 더 기뻐하며 외식을 하자고 했다. 지혜 씨는 인정받기 위해 늘 더 노력했지만 돌아오는 반응은 시큰둥했다. 엄마는 시부모님이 주었던 설움에 대해, 자신의 편을 들기는커녕 늘 모른 척하던 아빠에 대해 항상 지혜 씨에게 하소연했고, 지혜 씨는 같이 분노하면서 엄마 마음을 달래주려 노력하고, 엄마가 시키지도 않았는데 아빠에게 대들 때도 많았다.

여행 간 아들한테서 전화 한 통 없다고 엄마가 서운해하면 지혜 씨는 성곤이가 엄마를 무시한다는 생각에 화가 났고, 성곤 씨를 닦달하며 엄마에게 연락 좀 하라고 했다. 성곤 씨 전화에 엄마는 금세 기분이 좋아진다. 그 모습을 보며 여러 마음이 든다. 자신이 뭔가를 해냈다는 느낌과 엄마 기분이 나아졌다는 안도감이 들면서도 성곤이만 찾는 엄마에 대한 서운함도 생긴다. 엄마는 성곤이의 전화를 받고 화가 풀렸을지 모르지만, 지혜 씨는 성곤이에 대한 불만이 풀리지 않은 채로 남아 있다. 그러나 이런 성곤 씨를 미워하는 마음에 지혜 씨는 죄책감마저 느낀다. 지혜 씨는 엄마가 자라온 환경에 대해 알고 있다.

"엄마나 이모들도 외삼촌에게 양보하며 자랐거든요. 외할머니가 아들만 아랫목서 재우며 뜨끈한 밥을 주고, 딸들에게는 식은 찬밥만 줬대요. 엄마가 동생을 낳고 나서야 비로소 시부모님한테 어깨 펴고 다닐 수 있게 됐다고, 이모들이랑 얘기하는 걸 들은 적도 있어요."

지혜 씨는 엄마에게 화가 나면서도 자신이 엄마를 짝사랑하고 있는 것만 같다. 그리고 엄마는 동생을 짝사랑하고 있다.

무조건적인 관계는 없다,
그것이 엄마일지라도

어떤 사람은 요즘 같은 시대에도 이런 집이 있냐고 반문할지도 모릅니다. 어떤 사람은 자신은 이보다 더한 일도 겪었다며 대수롭지 않게 여길지도 모르고요. 사회 전체로 보면 세상은 조금 더 앞으로 나아간 것 같지만, 각 가정에서는 여전히 다양한 스펙트럼의 상황이 펼쳐지고 있습니다.

설사 비슷한 경험을 했더라도 사람마다 대처 방식은 저마다 다릅니다. 딸이라는 이유로 차별받으며 자랐던 경험이 내면화되어 자신이 엄마가 되어서도 성별에 따라 자녀를 차별하는 경우도 있고요. 반대로 자녀에게는 자신의 경험을 물려주지 않으려고 애쓰는 경우도 있습니다. 각자 타고난 기질이 달라서일 수도 있고, 겉으로는 유사해 보이는 경험이지만 그 경험의 맥락이 달라서일 수도 있겠지요. 그런데 어떤 경험을 하든, 그 경험에 대한 '판단'이 이후 삶의 방향을 결정합니다.

최은영의 단편 소설 「당신의 평화」에는 지혜 씨와 비슷한 인물인 유진이 등장합니다.[7] 유진은 어머니와의 관계에서 고통을 겪고 있는데요. 어머니는 딸인 유진에게 수시로 "내가 너 아니면 누구에게 이런 얘기 하니."라는 말과 함께 자신의 괴로움을 토로합니다. 하지만 정작 아들 준호에게는 폐가 되면 안 된다는 생각에 입을 다물죠. 어머니는 일찍 사별한 외할머니의 사랑을 얻기 위해 어릴 때부터 집안일을 도맡고 오빠의 밥상을 차리곤 했습니다. 결혼 이후의 삶에 대해서는 '시어머니와 함께 살면서 이 집의 부부가 자신과 남편이 아니라 남편과 시어머니라는 사실을 곧바로 이해했다.'라는 구절 하나만으로도 어느 정도 짐작할 수 있겠지요.

유진은 그런 어머니가 안쓰러워서, 그리고 인정받고 싶은 마음에 늘 어머니의 편을 들고, 집안일을 거들고, 하소연과 신경질을 받아주고, 어머니 대신 아버지에게 대들었다가 뺨을 맞기도 합니다. 그러던 중 준호가 결혼할 사람을 데려오자 어머니의 신경질은 절정에 달해, 유진이 근무 중이든 말든 아랑곳하지 않고 수시로 전화해서 예비 며느리에 대한 욕을 합니다.

유진은 참다 못해 추한 모습 보이지 말라며 어머니와 언쟁을 하는데요. 상견례 내내 관대한 모습을 보이며, 불만에 찬 어머니를 준엄하게 꾸짖곤 했던 아버지는 그만 싸우라고 하면서 '서로서로 양보해야 가정이 평화롭다'라고 말합니다. 유진과 어머니는 성이 나 있고, 아버지는 평화롭습니다. 이 와중에 유진은 자신이 결국 어머니를 받아주게 될 것이라는 걸 알지요.

만약 여러분이 지혜 씨와 유진 씨처럼 엄마와 갈등이 있는 상태라면, 엄마의 엄마가 어떤 분이었는지 살펴보세요. 엄마의 이해할 수 없는 행동을 이해하는 데 도움이 될 수 있습니다. 이해한다는 것은 다 받아준다는 것과는 달라요. 엄마가 왜 이런 모습을 보이는지 이해하는 것만으로도 자신의 상처를 이해하고 돌보는 계기가 될 수 있거든요.

엄마의 시대와 딸의 시대가 만났을 때

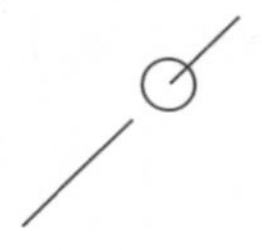

진료실 안팎에서 엄마와 딸이 갈등을 겪는 경우를 꽤 많이 접합니다. 전근대적 체계 안에서 여성으로서 살아남기 위해 애썼던 50~60대 어머니와 20~30대 딸의 삶의 방식은 다를 수밖에 없죠. 엄마와 딸의 갈등은 단순히 둘의 문제라기보다는 각 시대의 가치관과 가족 구성원에게 고정된 역할이 함께 작용한 결과일 가능성이 높습니다.

지혜 씨가 복잡한 마음을 안고 있으면서도 자신의 몫을 끊임없이 주장했다는 건 참 다행입니다. 지혜 씨는 내면에 아주 큰 힘이 있는 것 같습니다. 무언가를 해내도 가족의 격려를 받지 못하고, 오히려 동생의 성취를 빼앗는 것처럼 보이는 상황이었는데요. 이런 상황에 자신도 모르게 순응하게 될 수도 있는데, 지혜 씨는 자신의 것을 지키려 노력했습니다. 물론 이런 지혜 씨라도 자기주장을 했을 때 전혀 수용되지 않거나, 더 가혹하게 응징당하는 환경이었다면 그 힘을 발휘하기 어려웠을 테지만요.

엄마와 딸 사이에서 일어나고 있는 일

그럼 본격적으로 지혜 씨의 얘기를 들여다볼까요? 일단 어머니와의 관계에서 지혜 씨 마음 안에 어떤 일들이 일어나고 있는지를 살펴보겠습니다.

지혜 씨는 어릴 때부터 어머니가 고통받는 모습을 지켜보기도 했고, 어머니가 직접적으로 지혜 씨에게 괴로움을 털어놓기도 했습니다. 그렇게 어린 지혜 씨에게 어머니는 안타까운 피해자로 자리 잡았는데요. 어머니의 감정이 때로는 자신의 것인 듯 감정 이입하는 순간들이 있었을 것입니다. 이런 상황에서는 어머니와의 심리적인 분리(separation)가 쉽지 않습니다.

이렇게 오랫동안 어머니의 부정적 감정을 함께 느꼈고,

때로는 어머니 대신 느끼기도 했죠. 어머니가 별다른 분노를 느끼지 못하는 상황에서도 지혜 씨가 먼저 부당함을 감지하고 흥분할 때도 있습니다. 직접 나서서 어머니의 부정적 감정을 해소해주기도 합니다.

그런데 이렇게 어머니의 부정적인 감정을 해소하고 나면 후련해져야 하는데, 지혜 씨 마음은 개운하지 않고 불편할 때가 많습니다. 지혜 씨가 순간적으로는 자신의 것이라고 느낀 감정이 사실은 자신의 것이 아니라 어머니의 것이기 때문입니다. 이것을 설명하기 위해 자아경계(ego boundary)라는 개념에 대해 잠시 말해보겠습니다.

자아경계는 자신과 외부 세계를 구별해주는 역할을 합니다. 자아경계는 보통 유연성이 있어서 상대에 따라 범위를 달리합니다. 자아경계가 지나치게 견고하면 외부 현실에 적절히 반응하거나 타인과 유대를 이어나가기 어려우며, 고립될 수 있습니다. 반대로 경계가 너무 흐릿하면 타인과 자신을 지나치게 동일시할 수 있습니다. 타인의 감정, 생각, 욕구를 자신의 것으로 여기는 것이죠. 이때, 자신도 모르게 마치 다른 사람의 일부, 즉 심리적 연장선(extension) 같은 역할을 수행하게 되기도 합니다.[8] 그래서 지혜 씨는 때때로 어머니처럼 느끼고 행동하지만, 그것은 자신을 위한 결과를 낳지 못하는 것입니다.

지혜 씨는 또한 인정 욕구를 충족시키려 어머니의 마음을 누구보다 더 효과적으로 잘 알아봐 주고 달래줍니다. 또 동생의 성취에 기뻐하는 부모님의 모습을 보면서 자신이 더 나은 성취를 하려고 노력하죠. 그러나 이런 시도는 지혜 씨의 인정 욕구를 만족시켜 주지 못합니다.

일단 어머니의 괴로운 감정은 지혜 씨가 아무리 애를 쓴다고 해도 달래기 어렵습니다. 어머니가 속상한 근본적인 이유가 해결되지 않았으니까요. 지혜 씨가 어머니를 달래줌으로써 "너 아니면 누구에게 말하겠니.", "그래도 너밖에 없다."라는 말을 때때로 들을 수는 있으나 자신이 애를 쓰는 만큼의 보람은 느끼지 못합니다. 오히려 소모되고 있다는 느낌을 받을 뿐이지요.

또한 지혜 씨는 공부를 잘해도, 반장을 해도, 좋은 대학에 진학해도 그것은 동생이 아닌 지혜 씨의 성취이기에 동생만큼 인정받지 못합니다. 오히려 동생의 몫을 지혜 씨가 가져가기라도 한 것처럼 여깁니다. 지혜 씨는 밑 빠진 독에 물을 붓는 심정으로 계속 더 높은 성취를 거두려 하고요.

지혜 씨 마음 한구석에는 죄책감도 자리하고 있습니다. 충분한 사랑을 주지 않는 어머니가 자신이 보기에 차라리 완전히 나쁜 사람이기라도 했다면, 어머니에 대한 마음을 정리하기가 지금보다는 쉬웠을 거예요. 그러나 어머니는 악한 사람이 아니고, 오히려 고통을 많이 받은 사람처럼 보입니다. 그런 어머니를 미워하자니 죄책감이 들고, 화를 내면서도 한편으로는 돌보려는 시도를 멈추기 힘들죠. 죄책감은 아버지나 동생에게도 듭니다. 어머니를 고통스럽게 한 아버지와 동생에게 지혜 씨는 화가 납니다. 때로는 어머니보다 지혜 씨가 더 흥분하기도 하고, 실제로 그들이 지혜 씨에게 잘못한 일의 크기보다 더 크게 화를 내기도 하지요.

때로 어머니는 동생이나 아버지에 대한 분노를 지혜 씨에게 표현하고 나서 정작 자신들끼리는 화해를 이루어, 지혜 씨 안에만 여전히 분노가 남아 있는 경우도 있습니다. 동생은 지혜 씨를 직접 공격한 적도 없고, 부모님에게 혜택을 더 요구한 적도 없으니 지혜 씨는 '나는 나쁜 사람인가? 왜 이렇게 화가 많지?'라는 생각에 빠지기도 합니다.

또한 늘 더 거친 언어를 사용하고, 부정적 감정을 더 표출해서 주목을 받아야만 자신이 원하는 것을 겨우 얻어낼 수 있었던 환경이었기에, 겉으로는 화를 내면서도 내면에서는 그렇게 행동하는 자신이 부적절하다는 느낌이 자리 잡고 있을 수 있습니다.

엄마처럼 살고 싶지 않다는 마음에서 시작되는 불편한 감정도 있을 수 있어요. '엄마처럼 살지 않겠다'는 표현은 자신이 지켜본 어머니처럼 고통받는 삶을 살지 않겠다는 뜻이기도 하고, 자신이 어머니에게 받은 고통을 다른 사람에게 반복하지 않겠다는 뜻이기도 합니다.

이렇게 양육자는 의식적으로든 무의식적으로든 모델이 됩니다. 양육자들 중 누구를 모델로 할지에는 양육 환경, 주 양육자 여부, 성별, 문화적 규범 등이 영향을 미치는데요. 양육자를 모델로 삼고 닮으려 할 수도 있고, 타산지석으로 삼아 양육자처럼 살지 않겠다고 다짐할 수도 있습니다. 두 방향의 마음이 동시에 존재하는 양가감정을 가질 수도 있죠.

딸은 보통 어머니의 삶을 보며 자기 인생의 더하기, 빼기를 해나갑니다. 우리는 양육자와 다르게 살고 싶은 욕구를 강하게 가지면서도 (묘하게도) 동시에 다르게 사는 것에 대해 불편한 감정을 느낄 수 있습니다. 이것은 지혜 씨에게만 해당하는 이야기가 아니며 개인이 성장하면서 거치는 중요한 심리적 과정 중 하나입니다. 이 마음을 자신 안에서 어떤 식으로 소화하고 통합하는지가 매우 중요하다는 걸 알아두었으면 합니다.

자신이 할 수 있는 것들

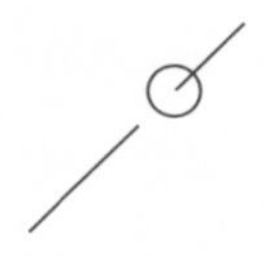

지금까지 한데 얽히고 뭉쳐 있는 지혜 씨의 마음을 세세하게 나누어 살펴보았습니다. 지혜 씨는 자신이 고통받고 있는 것도 알고 있고, 어머니가 자신에게 고통을 주는 존재인 동시에 어머니 역시 고통을 받아왔다는 사실도 알고 있습니다. 어머니가 자신을 지키기 위해 취했던 방식이 지혜 씨에게 좋지 않은 영향을 주었다는 것도요. 자신의 현재 상황이, 지극히 개인적인 일이라거나 '집안 사정'으로만 치부될 수 없는 것 역시 알고 있습니다. 그렇다면 이제 지혜 씨에게 어떤 말을 해줄 수 있을까요?

자기 자신을 제대로 존중하려면

자신이 무엇 때문에 고통받고 있는지, 자신을 둘러싼 세계에서 어떤 일이 일어나고 있고 그것이 자신에게 어떻게 작용하고 있는지를 아는 것은 중요합니다. 보통 이를 누가 잘못했는지 가려내는 작업인 것으로 오해하기도 하는데 둘은 별개입니다. 누가 잘못했는지에만 초점을 맞추면 오히려 고통의 원인이 가려져 제대로 찾기 어려울 수 있으니 주의해야 합니다.

예를 들어 어머니, 동생, 아버지를 탓하는 것 같아 불편한 마음이 들면 더는 원인 찾기를 계속하기가 어렵습니다. 사회 전반에 깔린 가치관과 시스템에서 원인을 찾으려다가도 핑계 같아서 또 멈춥니다. 자기 마음에서 원인을 찾으려다가도 스스로를 탓하는 일이 괴로워 멈춥니다. 그렇게 자신을 제대로 돌보는 일은 계속 미뤄지게 됩니다.

반대로 무엇이든 무조건 자기 탓을 하며 은연중에 대가를 치렀다고 생각하기도 합니다. 하지만 고통을 일시적으로 줄여줄 뿐 근본적인 원인을 해결해주지 못하죠. 오히려 마음의 코어를 제대로 들여다보는 일을 방해합니다. 만약, 관계에서의 갈등이 언제나 자기 비난으로 이어진다면 자신이 전

능해야 한다는 전제가 마음속에 있을 가능성이 있습니다.

물론 사람은 기계가 아닙니다. 원인을 찾는 과정에서 자연스럽게 따라오는, 자신과 타인에 대한 비난과 죄책감을 깔끔하게 분리해서 생각할 수는 없지요. 그러나 완벽하지는 않더라도 분리하려는 시도는 할 수 있습니다. 혼자가 어렵다면 책을 읽거나 상담을 받아보는 것도 좋습니다. 그것도 여의치 않으면 고통의 원인을 찾는 과정에서 원망하는 마음, 비난하고 심판하려는 마음이 언제나 따라온다는 사실을 의식하고 있는 것만으로도 도움이 됩니다. 저는 여러분이 그 사실을 의식하면서 조금씩 앞으로 나아갔으면 좋겠습니다.

원인이야 어떻든 결과는 같은데 굳이 원인을 살펴야 하는지 의문이 들 수도 있습니다. 물론 이미 생긴 고통을 줄여주는 방법을 찾는 것도 매우 중요합니다. 기분을 풀어주는 즉각적인 방식(맛있는 것 먹기, 즐거운 일 하기 등)에서부터 적극적인 방식(약물 치료 등)까지 모두 유용하고 필요합니다. 하지만 이것만으로 충분하지 않습니다. 고통이 생기는 패턴을 알아야 제대로 된 위치에 멈춤 버튼을 설치할 수 있으니까요. 그렇게 해서 변화를 만들 수 있습니다. 우리가 도저히 옮길 수 없는 걸림돌이 있어도 어디 있는지 아는 것과 모르는 것은 다릅니다. 알면 받아들이거나, 예측하거나, 피할 수 있습니다.

스스로를 위로하는 행위 역시 자신이 위로받을 자격이 있는지, 어떤 점이 속상한지, 자신이 나쁜 사람이 아닌 게 진짜 맞는지, 왜 자신이 벌을 받지 않아도 되는지에 대해 스스로가 충분히 납득이 가야 실천할 수 있습니다. 자신을 위로하면서 지혜 씨는 점차 본인을 혼낼 대상이 아니라, 호기심을 가지고 들여다보면서 공감해줄 수 있는 대상으로 대하게 되겠죠.

다른 사람의 감정에 민감하고, 그에 따라 자신의 감정을 조율할 줄 아는 사람들은 사실 누군가는 갖지 못한 귀한 역량을 가지고 있는 셈입니다. 그러나 정작 자신에게는 그만큼의 공감을 하지 못하는 경우가 있습니다.[9] 그 능력을 이제 본인에게도 배분하여 자신의 내적 세계에 대해 충분한 공감적 태도를 가지면 좋겠습니다.

지혜 씨도 어머니와 심리적 분리를 이루면서 자아경계를 더 잘 형성했으면 좋겠습니다. 어머니의 감정과 생각을 이해하되, 자신의 생각과 감정, 욕구와 구별하는 것이죠. 이 과정에서 가족들이 본인에게 실망하는 모습을 보겠지만, 지혜 씨가 가족의 기대를 꼭 만족시켜 주어야 할 필요는 없습니다. 자기 자신을 존중하는 방식으로만, 그리고 심리적인 보상이 돌아오지 않아도 괴롭지 않을 정도로만 어머니를 포함한 가족을 도와주세요.

이때 가족들이 던지는 원망을 내면화하여 자신을 공격하지 않는 것이 중요합니다. 또한 지혜 씨가 가족의 가치관을 변화시키거나, 가족에게 사랑과 위로를 받을 수는 없다는 점을 인정하고 받아들여야 합니다. 또한 사랑과 위로를 받지 못하더라도 지혜 씨의 가치가 떨어지는 것은 아니라고 스스로에게 계속해서 얘기해주어야 합니다. 그리고 지나치지 않을 정도의 성취나 동등하면서도 친밀함을 느낄 수 있는 인간관계를 통해 위로와 인정을 받아나가면 됩니다. 이때 가족에게 했던 것처럼 다른 사람의 감정을 자신의 것과 동일시하는 행동은 경계해야 합니다.

엄마의 희생이 나의 고통을 약분하지 못한다

자신을 챙기는 이 모든 과정에서 가장 걸림돌이 되는 것은 놀랍게도 죄책감입니다. '내가 이기적인 건가?'라는 생각이 우리를 함정에 빠뜨리는 것이죠. 만약 죄책감을 느낀다면 진정 내가 느껴야 할 죄책감이 맞는지, 혹시 다른 사람이 나에게 던져주는 감정은 아닌지 생각해보아야 합니다.

그래도 마음이 불편하다면 이렇게 생각해보는 건 어떨까요? 지혜 씨가 계속 자신을 소모한다면 그건 가족 구성원을 '착취하는 사람'으로 만드는 일에 기여하는 것이라고요. 그것을 멈추기 위해서는 나 자신이 바뀌는 수밖에 없습니다. 그러니 지금부터는 각각을 별개의 사실로만 받아들였으면 좋겠습니다. 어머니는 희생했고, 지혜 씨는 고통받았습니다. 이는 모두 사실입니다. 부조리는 부조리이고, 희생은 희생이며, 고통은 고통입니다. 어머니가 희생했다고 해서 지혜 씨가 고통받지 않는 건 아닙니다. 둘은 서로 호환 가능한 값이 아니니까요. 어머니의 희생은 지혜 씨의 고통을 약분하지 못합니다.

다른 사람을 대할 때 자신의 한계를 분명히 인정하고, 할 수 있는 만큼만 위로하세요. 다른 사람의 감정이 나를 덮칠 것 같다면 적당한 거리를 두세요. 자신의 거리두기에 따라오는 상대의 실망을 감수하는 자세도 필요합니다. 이렇게 자신을 존중해야 다른 사람도 나를 천천히 존중하기 시작합니다. 만약, 그렇지 않더라도 괜찮습니다. 지혜 씨가 본인을 컨트롤할 수 있게 된 것만으로 큰 성과니까요.

chapter 8

일상이 불편해졌어요

서진 씨는 최근 들어 불편하게 느껴지는 것들이 너무 많아졌다. 먼저, 각종 영화와 텔레비전 프로그램. 언제 어디에서 거슬리는 장면이 튀어나올지 몰라 은근히 스트레스를 받는다.

"예능 프로그램을 보면 남자들만 잔뜩 나와서 '형님' 하며 서열을 확인하고, 거기에 여자 한두 명이 나오면 당연하다는 듯 외모 평가를 해요. 아빠의 육아는 예능이 되는데 엄마의 육아는 예능이 될 수 없다는 것도, 여자 아이돌과 담배를 연결시켜서 놀리는 행위는 '드립'이 되는데 남자 아이돌에게는 '드립'이 될 수 없다는 것도 화가 나요."

그나마 예능에는 기대치를 애써 낮춰보려고 하지만, 자극적인 요소라고는 없는 영화에서조차 불편함을 느끼기 시작해 힘이 빠진다.

"얼마 전 넷플릭스에 아카데미상 후보에 오르고 평도 좋았던 영화 〈두 교황〉이 있기에 기대하는 마음으로 봤어요. 그런데 영화를 보는 내내 제 눈에 들어온 건, 숭고한 인류애를 지니고 소통하는 두 교황이 아니라 그들 주변에서 계속 시중을 드는 수녀들이었어요. 안 그래도 계속 불편하던 제 마음은 마지막 장면에서 결정적으로 한 방을 맞았어요. 축구광인 두 교황이 신나게 경기를 시청하는 동안 수녀가 그들 앞에 음식을 갖다놓느라 텔레비전 화면을 잠시 가리는데, 그들은 거슬린다는 듯 성의 없는 손짓을 하며 비키라고 해요. 시선은 화면에 고정한 채로요. 음식을 가져다주어 고맙다는 인사를 나중에라도 했을까요? 모르겠어요. 적어도 영화에서는 그런 말을 하지 않거든요."

그동안 살아오면서 별다른 생각 없이 접했던 언어와 관습 역시 이제 어떻게 대해야 할지 모르겠다.

"저는 친할머니보다 외할머니가 더 편하고 좋아요. 그런데 왜 바깥 외(外) 자를 써야 하는지 모르겠어요. 제사와 차례는 왜 항상 아버지 쪽 조상님들한테만 지내는지, 그 제사상은 왜 아이러니하게도 아버지 쪽 성씨를 갖지 않은 여성들이 차려야 하는지도요."

불편함은 사람들을 대할 때도 고개를 내민다.

"친구가 둘째를 낳아서 선물 사러 백화점에 갔는데, 점원이 아기 성별을 묻고는 여자애라고 하니까 레이스로 범벅이 된 분홍색 옷을 추천하는 거예요. 그제야 매장을 둘러보니 마치 편 가르듯 하늘색 아기 용품, 분홍색 아기 용품으로 영역이 나뉘어 있더라고요. 숨이 턱 막혔어요. 대충 노란색 정도를 선택해서 선물을 사들고 친구 집에 갔는데, 집에는 분홍 옷이 가득해요. 친구가 아이랑 놀아주며 불러주는 동요 역시 마뜩지가 않았어요. '곰 세 마리가 한 집에 있어, 아빠 곰 엄마 곰 아기 곰~ 아빠 곰은 뚱뚱해, 엄마 곰은 날씬해, 아기 곰은 너무 귀여워.' 엄마 곰은 날씬한 걸까요, 날씬해야 하는 걸까요?"

불편한 마음의 화살이 마지막으로 향하는 곳은 서진 씨 자신이다.

"친구에게 성별에 관한 고정관념을 말해주고픈 마음이 들다가도 관두게 돼요. '친구가 기분 나빠하지는 않을까? 내가 친구를 가르치려는 건가? 나는 얼마나 분별력 있고 잘났다고 이런 마음이 드는 걸까? 나는 왜 이렇게 모든 게 다 못마땅한 걸까?'. 〈곰 세 마리〉는 엄청 대중적인 동요이고, 그걸 불러주는 친구가 잘못을 한 것도 아니잖아요. 그런데 저는 이상하게 마음이 답답하고, 이런 일이 자꾸 반복되네요."

이렇게 서진 씨는 '하루는 부아가 치미는 나', '다음 날은 무력해지는 나', '모레는 자신감 넘치는 나', '주말엔 소심해지는 나'처럼 종잡을 수 없는 자기 모습에 자주 당혹스럽다.

이전으로 돌아가지 못해도 괜찮아

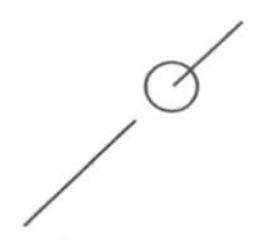

영화 〈매트릭스〉에는 파란 약과 빨간 약을 선택하라는 장면이 나옵니다. '파란 약을 먹으면 이대로 끝난 채 네가 믿고 싶은 것만 믿게 돼. 하지만 빨간 약을 먹으면 이상한 나라에 남아 끝까지 가게 되지.'라는 대사가 등장하죠. 진실을 알고자 빨간 약을 선택하는 영화 속 주인공에 빗대어, 우리는 일상에 공기처럼 배어 있는 성차별과 성별 고정관념을 감지하게 된 상태를 빨간 약을 먹었다고 표현합니다. 자연스럽게 숨 쉬며 살아왔던 공기 안에 미세먼지가 있고 그 미세먼지가 몸에 해롭다는 것을 안 순간, 이전처럼 공기를 편하게 들이킬 수 없겠죠. 이전으로 돌아가고 싶어도 그럴 수 없습니다.

동시에 엄청난 해방감도 느낍니다. 답답한 줄도 몰랐던 것, 또는 뭔가 답답하긴 하지만 그것을 표현할 언어가 없어 문제라고 얘기할 수도 없었던 무언가에 이름이 생기면, 막힌 속이 뻥 뚫리는 듯한 시원함을 느낄 수 있거든요.

빨간 약을 먹으면 처음에는 서진 씨처럼 자신을 둘러싼 세계가 낯설어집니다. 당연하게 여기던 것을 더 이상 당연히 여길 수 없게 됩니다. 그러다 보면 불편하게 느껴지는 것들, 때로는 위협이라고 느껴지는 것들도 많아집니다. 앞선 사례에서 〈두 교황〉이라는 영화가 유독 서진 씨 기억에 남은 이유는, '적어도 이런 영화에서만큼은 내가 불편함을 느낄 일이 없겠지.'라는 기대가 좌절되었기 때문이겠죠. 분명 세상은 그대로인데, 그곳을 바라보는 내 관점이 달라져 어찌할 바를 모르게 됩니다.

이전까지는 유쾌한 지인이었던 친구도, 주말이면 아무 생각 없이 보던 예능 프로그램도 이제는 불편하기만 합니다. 진실을 알아가는 일이 반가우면서도 일상을 마음 편히 즐길 수 없게 된 것에 대한 내적 갈등이 본격화됩니다. 서진 씨처럼 말이죠. 절대 서진 씨가 이상해진 것이 아닙니다. 혼란스러운 게 아주 당연하죠.

빨간 약을 먹으면 왜 화가 나는 걸까

빨간 약을 먹으면 여러 단계를 거치는데, 초반에 사로잡히게 되는 감정은 주로 분노입니다. 삶에서 부당한 요소가 속속들이 눈에 보이기 시작하니 화가 나는 것이죠. '내가 이렇게 화가 많은 사람이었나?'라는 생각이 들기도 합니다. 경우에 따라 성차별이 만연한 회사를 견디지 못하고 퇴사를 불사하거나 계란으로 바위 치기라고 생각하며 체념하기도 합니다. 때로는 타인이 원망스럽기도 합니다. 지금 이 상황이 이상하다는 걸 모르는 건지, 알면서도 모르는 척하는 건지 묻고 싶고, 아닌 건 아니라고 말해주고 싶어지죠.

일상에서 느끼는 차별과 억압이 훈훈한 분위기, 즐거운 동요, 예쁜 옷이라는 태연한 얼굴을 하고 있을 때, 분노는 더욱 갈 곳을 잃고 맙니다. 자신의 분노가 마치 웃는 낯에 침 뱉는 것처럼 느껴져 분노의 감정 자체가 불편해지고, 이것을 어떻게 처리해야 할지 난감하기만 하죠.

분노라는 감정은 그 자체로도 강렬하고 즉각적이어서 다루기 어렵지만, 여성이라는 정체성과 결합될 때 문제가 더 복잡해집니다. 사회에서는 분노나 공격성을 여성성에 대한 심각한 위협으로 여기고, 여성에게 어울리지 않는 감정으로 인식하기 때문입니다. 더욱 난감한 건, 여성들이 이러한 인식을 은연중에 내면화하여 자신의 분노가 왠지 모르게 부적합하고 위험하다고 느끼게 된다는 점입니다. 자기 자신과 불화하는 상황, 즉 자신의 감정을 두려워하는 상황은 자기 존재에 대한 근본적인 불안과 자신감 저하로 이어집니다.

분노-무력감-자기 비난의 순환 고리

이처럼 분노 다음에는 무력감이 찾아옵니다. 불편하다고 느끼는 많은 일은 유구한 역사를 지니고 있고, 체계가 잡혀 있고, 견고하죠. 변화는 불가능할 것이라는 생각이 들면서 답답해집니다. 분노하면서 에너지가 순간적으로 치솟았다가, 무력감이 들면서 썰물처럼 빠져나갑니다.

분노와 무력감을 지나면 마지막으로 자기 비난이라는 종착지에 도착합니다. '내가 너무 예민한가?', '나는 왜 그냥 받아들이지 못하고 사사건건 화를 내는 걸까?', '내게 누군가를 지적할 자격이 있기는 한 걸까?'. 이렇게 자신을 추궁하고 질책하기 시작합니다. 자신을 돌아보는 행위는 인간에게 꼭 필요한 것 아니냐고 물을 수도 있겠지요. 하지만 자기 성찰과 자기 비난은 전혀 다릅니다. 자기 성찰은 있는 그대로의 자신을 돌아보는 작업이지, 스스로를 야단치는 작업이 아닙니다. 그런데도 우리는 성찰 또는 반성이라는 이름 아래 자신을 자주 비난합니다. 게다가 자기를 가혹하게 바라볼수록 자신의 실체에 더 가깝다고 믿습니다. 그래야 스스로에게 부족한 부분을 놓치지 않을 수 있을 것 같거든요. 이렇게 '분노-무력감-자기 비난'의 순환 고리는 지속되고 결국 지쳐버리고 맙니다.

내 감정을 있는 그대로 바라보는 법

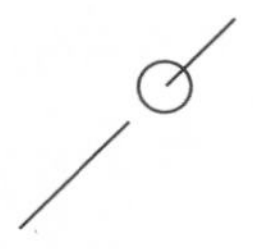

'분노-무력감-자기 비난'의 악순환에서 벗어나려면, 일단 자신을 포함한 그 어떤 것도 탓하지 말고, 이러한 순환 고리를 있는 그대로 들여다보아야 합니다. 표현은 쉬우나 굉장히 어려운 일입니다. 만약 쉬웠다면 애초에 자기 비난 자체가 없었겠죠? 감정을 있는 그대로 바라보는 일이 쉽지 않은 이유는, 그 과정에서 필연적으로 따라오는 수치심을 견뎌야 하기 때문입니다.

감정을 있는 그대로 바라보려면 우리의 생각과 감정, 행동에 많은 영향을 미치는 무의식의 신호를 포착해야 합니다. 의식에서 받아들이기 고통스러운 감정이나 부끄러운 소망, 두려움 등은 무의식에 억압되는 경우가 많습니다. 하지만 무의식이라는 지하 창고에 갇혔을 뿐 결코 사라진 것은 아니죠. 그것들은 예상치 못한 순간에 강력한 힘을 발휘합니다. 우리는 종종 "그렇게까지 화날 일이 아닌 것 같은데 나도 모르게 화가 난다.", "그 사람에 대한 얘기를 할 때마다 나도 모르게 눈물이 난다."와 같은 표현을 합니다. 이렇게 '나도 모르겠는' 이 영역이 바로 무의식이 존재하는 곳입니다. 무의식에 담긴 마음이 의식의 검열을 피하기 위해 여러 가지 얼굴로 의식에 등장하는 것이죠.

사실 우리의 감정에 꽤 많은 영향을 주는 무의식을 전부 다 알아내어 완전히 자유로워지는 것은 불가능하며 그럴 필요도 없습니다. 그러나 무엇이 나를 움직이는지 알면 알수록, 무의식에 덜 지배당하고 덜 압도될 수 있죠.[10] 우리 각자에게는 타고난 기질과 과거 경험 등이 상호작용하여 생긴 마음의 패턴이 있습니다. A라는 사람을 괴롭게 하는 어떤 상황이 B에게는 그렇게까지 고통스럽지 않을 수 있고, A에게는 큰 영향을 주지 않을만 한 일이 B를 오랫동안 슬프게 할 수도 있지요. 어떤 일에 대한 반응은 단순히 그 일뿐만 아니라, 그 일 전까지 누적된 경험으로부터 큰 영향을 받습니다.

만약 여러분이 사소한 것에 화가 난다면 그 일이 겉으로는 사소해 보일 수 있으나 여러분에게는 결코 사소하지 않다는 뜻입니다. 그렇기에 몸과 마음에서 저절로 분노하는 것이죠. 이제 우리는 "나는 왜 이렇게 사소한 일에 화가 나는 걸까?"가 아니라, "겉으로 사소해 보이는 이 일에 어떤 의미가 있기에 나는 이렇게 화가 나는 걸까?"로 바꾸어 질문해야 합니다.

이 말이 본인이 느끼는 분노를 그 자리에서 즉시 분출해야 한다거나 분출해도 된다는 뜻은 아닙니다. 다만, 마음속에서 올라오는 감정 자체에는 죄가 없으며, 그 감정에는 반드시 이유가 있으니 찬찬히 살펴봐야 한다는 말이죠.

이제부터는 '지금 (　　)라는 감정이 왔네.'라고 생각하며 감정 자체를 오롯이 관찰해보세요. 감정에 '옳다, 그르다' 식의 태그는 붙이지 말고요. 잊지 마세요! 감정은 타인이 놓고 간 것이 아니라, 온전히 내 것이라는 사실을 말입니다.

자기 자신을 잘 지킨다는 것

감정을 있는 그대로 바라보면 자신을 더 잘 지킬 수 있습니다. 눈치채셨을지 모르지만, 사실 지금까지 자신을 '지킨다'는 표현과 '잘 지킨다'는 표현을 구분해서 사용했습니다. 이것에 대해 조금 더 자세히 설명해드릴게요. 자신을 지킨다는 것과 잘 지킨다는 건 다른 뜻인데요. 우리 모두에게는 고통받고 싶지 않은 본능이 있습니다. 그런데 자신을 고통으로부터 지키려는 시도가 때때로 자신을 더 고통스럽게 하는 경우도 있습니다.

심리적인 상처로부터 스스로를 보호하기 위한 무의식적인 방식을 심리학에서는 방어기제(defense mechanism)라고 하는데요. 불안이나 슬픔 같은 부정적인 감정을 무의식 안으로 억압하는 것 역시 방어기제의 하나입니다. 이를 통해 일시적으로 자신을 보호할 수는 있지만, 억압된 것들은 결국 우리의 행복을 방해할 수밖에 없습니다. 나도 모르게 이유 없는 불안함을 느끼거나, 불쾌한 일을 겪은 뒤에 두통이 생긴 경험 있으시죠? 방어기제의 한 예입니다. 분노를 느낄 때, 반사적으로 상대를 조롱하거나 자리를 박차고 나와버리는 것 역시 행동화라는 방어기제인데요. 분노가 올라올 만큼 자신을 위협한 무언가로부터 스스로를 지키기 위한 반응인 것이죠.

방어기제는 자신을 지키기 위한 시도라는 의미이지, 모든 방어기제가 스스로를 '제대로' 지켜준다는 뜻은 아닙니다.

분노할 때마다 즉각적으로 행동한다면 그 순간에는 고통을 느끼지 않을 수도 있겠지만, 소중하게 여겼던 관계에 금이 가거나 수치심을 느낄 수 있습니다. 미성숙하고 파괴적인 방어기제도 있고 성숙하고 건설적인 방어기제도 있는데요. 상당히 습관적이며 자동으로 작동되기 때문에 자유롭게 조절하기는 어려운 일입니다. 하지만 불편하고 부정적인 감정을 어떤 식으로든 서둘러 처리하거나 없애려고 하지 않고 일단 지켜보세요. 파괴적인 방어기제를 반사적으로 작동시킬 확률을 조금이라도 줄일 수 있고, 그럼으로써 자신에 대한 피해를 최소화할 수 있습니다.

만약 사소한 일에 화가 난다면
그 일은 당신에게 결코 사소하지 않다는 뜻이다.

내 안에 내가 너무도 많아요

20대 대학생 이은 씨는 요즘 이러지도 저러지도 못하는 자신 때문에 혼란스럽다.

"전부터 의아하긴 했어요. 전 남자친구는 제게 남자를 잠재적 가해자 취급하는 건 억울하다고 말하면서도 제가 집에 갈 때는 여자 혼자 밤늦게 다니면 위험해서 안 된다고 하거나, 자기가 데려다 준다고 했거든요. 염려해주는 마음은 고마웠지만 그 염려는 제가 잠재적 피해자일 수 있기 때문에 드는 마음이잖아요. 잠재적 피해자가 있다면 잠재적 가해자도 존재한다는 뜻이고요. 늦은 밤 무사하려면 다른 남성의 에스코트를 받으며 원치 않는 빚을 진 마음으로 고마워하거나, 그런 게 불편하면 아예 밤에 밖으로 나가면 안 되거나, 선택지가 둘 중 하나밖에 없는 것 같다는 게 답답했어요. 이런 의문이 하나둘 쌓이던 차에 강남역 사건을 접했어요. 꼬리에 꼬리를 물고 글을 읽으면서 이것은 페미니즘

이슈와 맞닿아 있다는 사실을 깨닫게 되었고요."

이은 씨는 아직 페미니즘에 대해 모르는 것이 많다. 누가 페미니즘과 연관된 질문을 하거나 관련 이슈를 꺼낼 때마다 달팽이처럼 기어 들어간다. 갑자기 말이 없어지고 순간 얼음이 된다. 본인에게 무척 중요한 문제라 섣불리 말할 수 없는 것도 같다.

"고등학교 친구들 대여섯 명과 강남역 쪽에서 모인 적이 있어요. 그때 강남역 사건 얘기가 나왔거든요. 한 명은 '강남역 사건은 그냥 조현병 환자가 벌였던 일 아닌가. 정신질환 증상 때문에 그런 건데, 여성혐오 사건이라고 일반화하는 건 무리가 있다.'라고 했어요. 또 다른 친구는 강남역 사건은 여성을 타깃으로 한 게 맞다고 엄청 분개했어요. 그런데 이 친구는 페미니즘에 대해서는 회의적이더라고요. 자기는 편 가르기가 싫은데 페미니즘은 너무 한쪽 편만 드는 거라 동의할 수가 없다고…."

이런 대화를 할 때 친구들은 페미니즘에 관심이 많은 이은 씨에게 의견을 묻는다. 그럴 때마다 무슨 말을 어디서부터 어떻게 해야 할지 모르겠고 머릿속이 하얘진다. 동의할 수는 없는 말이긴 한데, 어떻게 설명해야 할지 막막하다. 그렇게 아무 얘기도 못 한 채 헤어지면, 친구들을 설득할 수 있는 좋은 기회를 놓친 것 같아 집에 가는 내내 아쉽다.

"친구들이 페미니즘에 대해 오해하지 않도록 조리 있게 잘 설명을 해야 할 것 같고, 그러면서 흥분하는 모습을 보여서도 안 될 것 같고…. 이런저런 마음이 앞서니까 정작 아무 말도 못하게 되더라고요."

대학교 친구들과 있을 때는 페미니즘에 대해 전혀 모르는 척, 관심 없는 척하면서 속으로는 속상해한다.

"좋은 친구들이지만, 페미니즘에 대해 전혀 호의적이지 않거든요. 얼마 전 학내에서 성폭력 사건이 터졌는데, 대학교 친구 한 명이 페미니스트로 알려진 동아리 멤버를 언급하면서 '걔는 성차별 문제라면 늘 나서더니 이번 일은 자기랑 친한 선배가 한 일이라 그런지 조용하더라. 일관성이 없어. 걔 때문에 우리 학번 다 페미 취급 당하잖아.'라고 한 적도 있거든요. 그런 말을 듣고 있으면 괜히 뭔가 찔리기도 하면서, 한편으로는 그들과 잘 지내고 싶다는 마음에 저는 그냥 가만히 있게 돼요."

고등학교 친구들에게는 페미니즘을 알려주고 싶으면서도 대학교 친구들에게는 위장된 모습을 보여주는 자신을 보며 '내 안에 몇 명의 내가 있는지 모르겠다'고 생각한다.

달팽이가 되어버린 이유

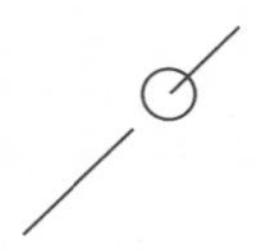

이은 씨는 페미니즘 이슈가 거론될 때마다 자신도 모르게 얼음이 된다며 속상해합니다. 이런 현상을 경직 반응이라고 부르는데요. 위협적이거나 긴장하게 만드는 상황에서 우리는 반사적으로 싸우거나 도망치거나 얼어붙습니다. 관계의 긴장 상황뿐 아니라 일반적으로 불안을 유발할 만한 상황에서 두루 나타나는 현상이죠. 이런 상황에서는 이은 씨를 얼려버릴 만큼 들었다 놨다 하는 그 무언가의 무게감을 줄여주는 게 최우선입니다. 이를 위해 우리는 이은 씨의 마음을 좀 더 들여다보아야 합니다.

강남역 사건이 많은 여성들 안에 페미니즘이라는 불씨를

지핀 건 맞지만[11] 애초에 마음속에 장작이 하나도 없었다면, 이 사건 하나만으로 불꽃이 일어나기는 어려웠겠지요. 이은 씨에게도 '왜 나는 여성이라는 이유만으로 조심해야 하지?' 같은 작은 질문들이 장작이 되어주었을 것입니다. 그러다가 점점 '내가 이상한 게 아니라 세상이 기울어진 거구나'라고 깨닫게 되는 것이죠.

이쯤에서 이은 씨를 곤란하게 만든 강남역 사건에 대한 이야기를 해볼까요? 2016년에 일어난 이 사건은 많은 여성의 인식에 변화를 주었습니다. 여성이라는 이유만으로도 죽을 수 있다는 것을 체감한 사건이기 때문입니다. 조현병이 있는 남성 가해자는 다섯 명의 남성을 그냥 보낸 뒤 제일 처음 들어간 여성을 살해했습니다. 여섯 번째로 들어왔지만 최초의 여자라는 이유로 살해당한 것입니다.

이 범죄의 원인으로 '정신질환 vs 여성혐오' 중 어느 한 쪽을 반드시 택해야 할 것처럼 논쟁이 전개되었지만, 이것은 양자택일의 문제가 아닙니다.[12] 여기서 먼저 알아야 할 건 조현병을 포함한 정신질환을 가진 사람들과, 여성혐오 또는 범죄의 경향성 자체는 아무런 관련이 없다는 점입니다. 다만 여성을 살해하게 한 핵심 증상인 망상(delusion)의 특성은 짚고 넘어가야 합니다. 정신의학의 관점에서 망상은 '현실과 다른 비논리적 믿음 체계'라는 뜻입니다. 망상 자체는 개인의 병리 문제로 발생하며 여성혐오와는 무관하다고 볼 수 있지요. 그러나 망상의 내용은 당대의 사회 분위기와 맥락에 영향을 받습니다. 물론 이 사건에 여성혐오적 요소가 존재할 가능성을 말하는 것은, 범죄자 개인을 악마화하거나 정신 장애인에 대한 낙인을 정당화하는 것과는 당연히 무관하게 이루어져야 합니다.

자신만의 생각을 이어갈 것

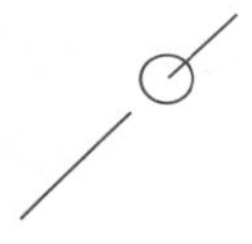

이은 씨의 사례에서 나오는 강남역 사건도 그렇고, '페미니즘은 편 가르기를 하고 너무 한쪽 편만 든다.'라고 말한 친구의 말도 그렇고, 어느 하나 간단한 것이 없습니다. 이은 씨 친구의 의견에 대해 논하기에 앞서 페미니즘이 무엇인가에 대해서부터 생각해보아야 할 것 같네요.

페미니즘이란 무엇이며, 페미니스트는 누구를 말하는 걸까요? '책상'이라고 말할 때조차 각자 머릿속에서 떠올리는 책상의 모습이 다르듯, 같은 단어라 하더라도 개인이 어떤 의미로 생각하느냐에 따라 그 단어가 담는 내용은 완전히 달라집니다. 개념어, 특히 'ㅇㅇ주의'의 경우 더욱 그렇습니다.

페미니즘, 페미니스트라는 단어 역시 이곳저곳에서 다양하게 전유되고 있습니다. 예를 들어보겠습니다.

1 "나는 페미니스트는 아니지만, 양육은 부모가 동등하게 참여해야 한다고 생각해."
2 "화장에 명품백에, 하이힐에··· 그 사람이 그러고도 페미니스트라고 할 수 있어?"
3 페미니즘 철학, 정신분석적 페미니즘, 페미니즘 연구(학술지 및 교과과정 제목) 등

페미니즘과 페미니스트는 1번에서는 낙인이고, 2번에서는 자격이며, 3번에서는 학문 영역입니다. 자, 이제 질문을 해보겠습니다.

"당신은 페미니스트인가요?"

이 질문을 자주 받아본 사람이라면 시행착오 끝에 나름대로의 매뉴얼을 스스로 마련했을지도 모릅니다. 그러나 대체로 이 간단해 보이는 질문에 자신과 질문자 모두에게 완전히 명쾌한 대답을 하기는 참으로 어려운 일이죠.

페미니즘이란 무엇인가

페미니즘은 여성 인권만 옹호하는 편 가르기 같아 불편하다는 이은 씨 친구에게는 어떻게 말해줄 수 있을까요? 페미니즘의 의미에 대해서는 페미니스트와 비페미니스트뿐만 아니라 페미니스트 안에서도 매우 복잡한 견해 차이가 있습니다.[13] 여기서 페미니즘의 의미를 한마디로 단정하는 건 저의 능력을 넘어서는 일이지요. 다만, 이 단어와 관련한 각자의 생각을 전개해보는 데 조금이라도 도움이 되고자 단순화의 위험을 다소 무릅쓰고 잠시 설명을 해보겠습니다.

페미니즘이 정말로 성평등을 지향한다면 휴머니즘이나 이퀄리즘이라는 용어를 써야 한다고 생각하는 사람이 많습니다. 성별과 인종은 같은 차원에서 단순 비교할 수 있는 주제는 결코 아니지만, 페미니즘이라는 명칭에 대한 이해를 돕기 위해 인종의 예를 가져와 보려 합니다.

'흑인의 생명은 소중하다(Black lives matter, 이하 BLM)'는 이름의 흑인 민권 운동은 2012년부터 시작되어 현재까지 이어지고 있습니다. 흑인 시민에게만 과도한 공권력을 행사하여 사망하는 일이 반복되는 것에 대한 저항이죠. 그런데 얼마 후, '모든 생명은 소중하다(All lives matter)'라는 슬로건이 등장하여 BLM과 대립하게 되었습니다. 모든 생명이 소중하다는 말은 지극히 맞는 말이고 모든 걸 포괄하고 있는데도, 왜 굳이 BLM이라는 말이 필요한 것일까요?

BLM 슬로건을 풀어서 이해해보면, '모든 생명은 동등하게 소중하다. 우리는 다른 생명은 소중하지 않고 흑인의 생명만 소중하다고 주장하는 것이 아니다. 그러나 현재는 인종을 이유로 한 위협이 존재하며, 흑인은 백인에 비해 생명이 위험해질 가능성이 훨씬 더 높으니 주의를 기울이고 초점을 맞춰주기를 바라는 것이다.'라는 뜻입니다. 모든 생명이 소중하다고만 말했을 때 지금 주목해야 할 주제가 묻혀버리는 일을 염려하는 것이죠.

여기서 '모든 생명은 소중하게 여겨야 한다.'는 일종의 규범적 주장(normative claim), 즉 '이러이러해야 한다'에 대한 것이며, '현재는 흑인이라는 이유로 생명이 위험해질 가능성이 훨씬 더 높다.'는 서술적 주장(descriptive claim), 다시 말해 존재하고 있는 사실 여부에 대한 주장입니다.

이처럼 페미니즘 역시 휴머니즘 또는 이퀄리즘이라는 명칭 자체가 의미하는 '어떤 개인도 억압을 받지 않아야 한다.'라는 뜻을 지닌다는 점에서 비슷한 규범적 주장을 하고 있는 것처럼 보일 수 있습니다. 다만 페미니즘은 '현재는 성별에 따른 억압이 존재하며, 그 억압의 무게가 여성에게 더 지워져 있다.'는 서술적 주장을 포함하고 있는 것입니다.

여자대학의 존재도 하나의 예로 들 수 있습니다. 이화여대 김혜숙 전 총장은 언론과의 인터뷰에서 "이화여대는 자기 소멸을 위해 달려야 하는 역설적인 대학이다. 자기 목적을 달성한 그 순간은 여자대학이 있을 필요가 없는 그런 세상이기 때문이다."[14]라는 말을 했습니다. 궁극적으로는 굳이 따로 존재해야 하거나 힘을 실어줄 필요가 없는 상황을 지향하지만, 그 지향점을 위해 현재 어디에 주의를 기울여야 할지를 드러내는 것이죠.

이퀄리즘을 지향하는데 "여성은 남성보다 더 억압받아도 된다."라고 주장할 수 있는 사람은 없을 겁니다. 페미니즘이든, 이퀄리즘이든, 휴머니즘이든 명칭의 공식적인 지향점은 비슷해 보이니까요. 그러니 성차별, 성별 억압에 대한 자신의 생각을 스스로 살펴볼 때, "모든 개인은 동등하게 존중받아야 한다고 생각하는가?"라는 규범적 질문과 "성별에 따른 억압이 존재하는가? 여성은 현재 억압이나 불이익을 더 받고 있는가?"라는 서술적 질문으로 구별하여 구체적으로 생각을 정리해보세요. 물론 질문 속에 등장하는 동등, 여성, 억압, 불이익이라는 단어의 정의를 살펴보는 일부터 쉽지 않은 작업이에요. 그럼에도 페미니즘이라는 뜨거운 이슈에 궁금증이 생긴다면 나름대로 생각을 전개해보는 데 큰 도움이 될 거예요.

구구절절 해명하지 마라

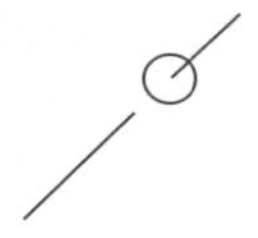

이은 씨는 친구에게 앞서 제가 얘기한 내용을 설명해줄 수도 있습니다. 그러나 다른 사람에게 반드시 설명해주어야 하는 의무가 있는 건 아닙니다. 이은 씨는 '자신에 대해, 페미니즘에 대해 해명이라도 해야 할 것 같은 마음', '가면을 쓰고 있는 것만 같은 마음'으로 인해 괴롭습니다.

우리도 때때로 이런 마음이 들 때가 있습니다. 자신이 중요하게 생각하는 무엇인가에 대해 누군가 궁금해하거나 비난하는 경우에 어떻게 반응하는 게 좋을지 모르겠죠. 또한 자신이 속한 집단에 따라 온전히 자기 자신답게 행동하지 못하고 마치 가면을 쓰고 있는 기분이 들 때도 있습니다. 이 모든 상황에서 가장 중요한 것은 자기 자신을 잘 보호하는 일입니다.

이은 씨는 지금 시행착오를 경험할 권리가 필요합니다. 모든 것이 처음부터 매끄러울 수는 없으니까요. 가면을 쓰는 행위도 너무 나쁘게만 생각하지 않는 것이 좋습니다. '모든 질문에 막힘없이 술술 대답할 수 있고, 언제 어디서든 한결같이 당당한 모습으로 존재해야 한다.'는 전제는 이은 씨에 대한 친구들의 기대일 수도 있지만 한편으로는 스스로 부여한 기대일 수도 있으니까요.

자신을 잘 보호한다는 의미는 다양합니다. 하고 싶은 얘기는 하고, 하고 싶지 않은 얘기는 하지 않으려는 자신의 욕구를 존중하는 것부터, 자신에 대해서 드러내고 싶은 만큼만 드러내는 것, 외부 또는 스스로 부과하는 압력에 못 이겨 굳이 드러내고 싶지 않은 걸 드러내는 일을 줄이는 것, 에너지와 시간의 불필요한 낭비를 막는 것, 좋은 관계를 유지하고 싶은 마음이 드는 사람들과 그 관계를 지속하는 것 등 자신을 잘 보호하는 일에는 데미지를 최소화하는 일 역시 포함됩니다. 주어진 상황과 여건에서 우선순위를 잘 따져서 줄 것은 내어주고 취할 것은 취하는 것이 필요하죠. 이은 씨는 친구들에게 달팽이 같다고 놀림받고 스스로도 속상해했지만 뭔가 여의치 않다면 차라리 달팽이가 되는 것도 나쁜 일은 아니지요.

내 상황은 내가 컨트롤한다

이은 씨는 친구들의 질문에 당장 어떻게 대답할지 몰라 얼었지만, 이후에 관련 내용을 찾아 이해한 뒤, 다음번에 비슷한 상황이 왔을 때 조금 더 준비된 상태에서 설명해줄 수도 있습니다. 이미 지나가버린 상황에 만족할 만한 대처를 하지 못했다고 자책만 하는 것보다는 다시 비슷한 상황이 왔을 때 자신이 할 수 있는 선택지를 넓혀가는 게 훨씬 낫죠.

이는 다양한 상황에서 스스로를 컨트롤하는 여러 방법 중 하나인데요. 우리는 때때로 어떤 상황에 압도되어 주도권을 빼앗기고 맙니다. 그럴 때면 이런 마음이 들곤 하죠. '질문을 받으면, 어떤 질문이더라도 반드시 제대로 된 답을 해주어야 해. 지금 당장.' 그러나 다른 사람이 갑자기 화투판을 벌이고 어서 치라고 재촉한다고 해서, 내가 반드시 쳐야 하는 것은 아닙니다. 이번 판은 안 치겠다고 해도 되고, 광만 팔아도 되고, 물론 치고 싶으면 쳐도 되지요. 그러한 선택의 이유에 대해서 구구절절 해명할 필요도 없습니다. 그냥 내가 치고 싶지 않으니, 안 치는 것이죠. 그 과정에서 다른 사람들의 아쉬움 섞인 목소리, 빈정거림, 심지어는 비난까지 받을 수도 있지만 본인에게는 그쪽이 차라리 훨씬 낫습니다.

만약 질문에 적절한 설명을 해줄 수 있는 말을 가지고 있더라도 선택지를 하나 더 가지고 있는 것이지 그 선택지를 반드시 채택해야 한다는 건 아닙니다. 선택의 열쇠는 언제나 우리의 손에 있다는 걸 잊지 마세요. 만일 안전한 상황이라는 느낌이 들고, 상대가 순수한 호기심으로 물어보는 것이며, 본인도 말해주고 싶다는 욕구가 생기면 말을 해도 됩니다. 원하는 만큼 말을 해도 되고, 안 해도 괜찮습니다.

페미니즘 이슈에 대한 고민과 실천은 이은 씨 자신을 위한 것이었으면 합니다. 그래야 오래갈 수 있고, 나중에 허탈함이나 억울함이 안 남지 않거든요. 무엇을 감수할 수 있고, 감수할 수 없을지를 가늠해보는 건 이기적이거나 비겁한 것과 다릅니다. '해야 하기 때문'보다 '하고 싶기 때문'이라는 이유를 더 많이 채택할 수 있으면 좋겠습니다.

좀 더 구체적인 해결책을 제안해보겠습니다. 상황을 컨트롤하는 방식은 다양한데요. 여러 명이 있는 상황은 대체로 변수가 많고 예상치 못하게 대화가 흘러갈 가능성이 있으므로, 중요한 대화를 편하게 나누고 싶다면, 일대일의 상황을 만들거나, 그런 상황을 기다려보는 방법을 추천합니다. 단체 채팅방 상황 역시 비슷한데, 특히 텍스트로 의견 교환이 이루어질 때는 대화의 흐름이 더 예상치 못한 방향으로 흐를 수도 있습니다. 가볍게 말하기 어려운 주제에 대해 단체방에서 갑작스러운 질문을 받는다면 어떻게 해야 할까요? 대답하고 싶으면 해도 되고요. 만약 이 상황을 충분히 컨트롤해 나가기 어렵다는 생각이 들면, 그 자리에서 답하지 않고 나중을 기약한다거나, 직접 얘기하고 싶다고 말하며 좀 더 편안한 상황을 상대에게 제안하는 것이 낫습니다.

우리는 누울 자리를 보고 다리 뻗어야만 합니다. 어느 누가 가시밭길로 다리를 뻗고 싶을까요? 만약 가시밭길에 꼭 다리를 뻗어야만 한다면, 적어도 자신을 보호할 장비는 갖추고 뻗는 것을 추천합니다. 자신을 잘 보호하는 일은 비겁함과는 아무 관련이 없다는 걸 명심하세요.

초자아 다독이기

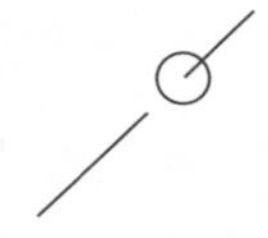

이은 씨가 이렇게 마음고생하는 이유는 이은 씨에게 강력하고 가혹한 초자아(superego)가 있기 때문입니다. 우리 마음은 기본적으로 이드(id), 초자아, 자아(ego) 이 세 가지로 구성됩니다. 이드는 개인의 각종 욕구와 소망으로 이루어지며, 초자아는 도덕적 양심과 스스로 추구하는 이상, 즉 자아 이상(ego ideal)을 의미합니다.

자아는 외부 세계와 개인의 내적 세계 사이의 관계를 조절하는 역할을 수행하는데요. 성숙한 개인이려면 이드, 초자아, 자아가 각자 적당한 크기로 존재해야 합니다. 여기서 중요한 것은 '적당한 크기'입니다.

초자아의 뜻을 문자 그대로만 받아들이면, 마치 크면 클수록 좋다고 느낄 수 있겠지만, 사실 그렇지 않습니다. 물론 초자아는 양심을 통해 도덕적 판단을 돕고 선과 악을 구분할 수 있게 해줍니다. 또한 자아 이상을 통해 본인이 이러이러한 사람이 되어야 한다고 설정하고 그 길로 나아갈 수 있도록 하지요. 그래서 우리는 양심에 어긋난 행동을 할 때 죄책감이 들고 이상적인 나와 실제의 나의 간극이 클 때 수치심이 듭니다.

적당한 크기의 죄책감과 수치심은 우리를 더 나은 사람이 되도록 합니다. 그러나 내적 세계에서 초자아의 비중이 지나치게 크면 생각할 때, 감정을 느낄 때, 행동할 때마다 지나치게 자기 처벌적 경향을 보이게 됩니다. 초자아는 성숙한 사람이 되기 위한 연료로 사용되어야 하는데 초자아의 처벌적 · 파괴적 기능만 남아 개인을 위축시키고, 경직되게 만드는 것이죠. 결국 주객이 전도되어 버린 채 스스로를 야단칠 틈만 노리게 됩니다.

자기 자신에게 공정하다는 것

초자아의 불길에 다치지 않으면서도, 이를 활용하려면 초자아를 없애지도 키우지도 않고 잘 다독여야 합니다. 어떻게 다독여야 할까요? 이드와 자아의 기능을 함께 지지해주면 됩니다. 자신이 무엇을 잘못했고 무엇이 부끄러운지에만 주목하는 것이 아니라, 자신 안에 어떤 욕구와 소망이 있는지(허황되고 쑥스러운 것들을 모두 포함해서), 현재 처한 현실에서 무엇이 나를 도와줄 수 있고, 무엇이 내게 불리한지, 나는 뭘 잘 견디고 뭘 잘 못 견디는지 모두 골고루 주목해 주어야 한다는 뜻이죠. 예전에 저는 내담자들이 초자아를 잘 다독였으면 하는 바람을 '자기 자신에게 관대하라'는 표현으로 전달했습니다.

그런데 이 메시지에는 두 가지 문제가 있었습니다. 하나는 이 표현이 이미 사람들에게 상투적인 표현으로 자리 잡은 나머지 아무런 자극을 주지 못한다는 점이었고, 다른 하나는 '관대함'이라는 말이 낳는 오해였죠. "나한테 관대했다가 내가 진짜 별로인 사람이 되어버리면 어떡해요? 잘못한 줄도, 부끄러운 줄도 모른 채 남에게 피해를 주는 한심한 사람이 되어도 괜찮다는 건가요?"와 같은 반응도 많았습니다.

그때 저는 자신에게 관대하라는 표현이 사람들의 두려움을 건드리고 있다는 것을 알게 되었습니다. 그들은 자신이 고삐 잃은 말처럼 자신 안의 욕구와 소망에만 휘둘리거나 현실이 건네는 유혹에 지배당할까 봐 초자아를 동원하고 있었던 것이죠.

그래서 표현을 바꾸어, '자신을 과연 공정하게 대하고 있는지?' 질문하기 시작했습니다. 많은 사람이 자기를 중립적으로 냉철하게 바라본다는 명분 아래, 실은 초자아의 편에서만 자신을 바라보고 있다는 점을 강조하고 싶어서였죠. 자신이 맞는지 틀린지, 잘났는지 못났는지 말고도 자신이 무엇을 갖고, 먹고, 느끼고 싶은지, 무엇에 의존하고 싶은지, 현실의 무엇이 자신에게 걸림돌이 되는지도 함께 물어봐주는 것이죠. 이런 질문은 자신의 잘못을 슬쩍 눈감아주는 일이 아닙니다. 자신을 진정으로 공정하게 대우하는 것이죠. 적어도, 내가 스스로를 억울하게 만들어서는 안 되니까요.

꾸밀 때 눈치가 보여요

"거리를 걷다 보면, 예전에 비해서는 여자들이 확실히 옷이나 화장에 힘을 덜 줬다는 느낌이 들어요. 특히 신발! 하이힐을 신는 사람들이 전보다는 적어졌어요. 운동화나 단화 같은 걸 많이 신더라구요. 저도 그렇고요. 예전에는 새로 산 구두를 처음 신는 날에 늘 두려웠던 기억이 나요. 오늘은 또 얼마나 발이 아플까 걱정하면서요. 서 있는 내내 발가락이 짓눌리는 것 같고. 집에 와서 스타킹을 벗을 때는 뒤꿈치에서 난 피에 스타킹이 엉겨 붙어서 떼느라 고생한 적도 많아요."

20대 중반의 한별 씨는 대학 신입생 때의 일을 떠올리면 얼굴부터 찡그려진다. 발을 혹사하는 구두를 어떻게 신고 다녔는지 모르겠다. 한별 씨가 처음부터 꾸미는 걸 좋아하는 사람은 아니었다.

"요즘은 중고등학교에서도 화장 안 하면 찌질이 취급을

받는다고 하지만, 제가 학교 다닐 때는 그 정도까지는 아니었어요. 꾸밀 사람은 꾸미고, 관심 없는 사람은 안 하고. 그러다가 대학에 오니까 다들 어디서 지령을 받기라도 한 것처럼 다 같이 화장을 하고, 사탕 껍질 같은, 주머니도 없는 치마를 입고, 비싸고 손바닥만 한 가방을 들고, 높은 구두를 신고…."

스무 살이 된 후 주변 사람들이 캐주얼한 옷을 입는 자신을 직접 비난하지는 않았지만, "너는 원판이 좋아서 조금만 꾸미면 진짜 예쁠 텐데… 우리 때를 여자가 제일 빛나는 시기라고 하잖아."라는 말을 하곤 했다. 그럴 때마다 한별 씨는 불안해졌다. 가장 빛나야 할 때를 놓치고 있는 것 같아, 그때부터 마음먹고 자신을 가꾸기 위한 시도를 시작했다.

구두를 사려고 매장에 갔는데 예쁘게 생긴 구두는 굽이 대부분 7센티미터가 넘었다. 낮은 굽 구두는 없거나, 아니면 예쁘지 않았다.

"어쩔 수 없다고 생각했어요. 다들 이걸 신고 다니니, 나도 신어야 한다고 느꼈어요. 자꾸 어린애처럼 핑계 대면 안 된다고 느꼈어요. 손을 부들부들 떨며 한 통에 30만 원이 넘는 수분크림도 사서, 쌀알만큼 아껴 바른 후 피부가 조금이라도 좋아졌는지 매일매일 확인하고…."

달라진 한별 씨의 외모에 칭찬이 쏟아지면서 꾸미는 일은 점점 재미있어지기 시작했다. 나중에는 누군가가 보지 않아도 스스로 만족감을 느끼는 듯했다.

그러던 한별 씨는 이제 컨버스 운동화를 즐겨 신고, 청바지를 제일 많이 입는다. SNS에서 화장품과 구두를 쓰레기통에 넣으며 탈코르셋을 인증하는 게시물을 보면서부터다. 이전과 달라진 사회 분위기 덕도 있다.

"뒤통수를 세게 맞은 듯했어요. 그동안 내가 외모를 꾸민 건 내 의지가 아니었구나 생각했죠. 이제는 나에게 자유를 주어야겠다고 결심했어요."

그러면서 이제는 다른 고민을 하기 시작했다.

"하이힐, 명품백, 마스카라… 이런 건 이제 불편하다는 걸 알았고, 끊는 게 어렵지 않았어요. 그런데 제가 네일아트는 도저히 못 끊겠는 거예요. 기분에 따라 손톱을 다르게 꾸미는 건 엄청난 즐거움이거든요. 집 근처 네일숍 단골이 된 지 몇 년째고, 새로운 색깔 나오면 꼭 발라봐야 해요. 이 일은 저에게 정말 즐거움을 줘요. 여기에 드는 돈, 긴 손톱으로 일하는 것, 매니큐어 마르기 전 물건에 찍힐까 봐 조심조심하는 것…. 이런 불편함보다 즐거움이 훨씬 크거든요."

다른 사람들에게는 하이힐이, 마스카라가 바로 그런 존재일지 모른다는 생각이 들면서 한별 씨는 혼란스럽다.

"저는 제가 꼭 옳은 방식으로 살아야 한다고 생각하지는 않지만, 뭐가 맞는지를 알고 싶다는 마음은 들더라구요."

한별 씨 자신은 이 문제에 대해 크게 스트레스 받고 있지는 않다고 느껴왔는데, 얼마 전 카페에 갔다가 스스로에게 당황하는 일을 겪었다.

"그날도 로드숍에서 새로 나온 매니큐어를 신나게 쫙 다 사 들고 카페에 갔어요. 맞은편 자리에 편한 옷을 입고, 숏컷을 하고, 화장기가 전혀 없는 여자분이 앉아 있는 게 보였는데요. 저도 모르게 테이블 위에 올려놨던 매니큐어를 주섬주섬 싸서 감추듯 가방에 넣고 있더라고요. 그분이 저를 보고 있었는지 아닌지도 몰라요. 제가 놀란 건 저 자신의 반사적인 행동이었어요."

사람들이 SNS에서 탈코르셋 한 여성이 오히려 획일적인 모습이라고 말하는 걸 보면 한별 씨는 속상하고 화가 나면서도 뭐가 맞는 건지 고민한다.

"네일 아트도 하고, 긴 머리에, 파마도 염색도 계속하고, 비비크림도 바르고, 눈썹도 계속 다듬는데. 이런 저를 스스로 어떻게 바라봐야 할지, 그 점이 고민이에요."

꾸밈에 대한 이중적인 생각들

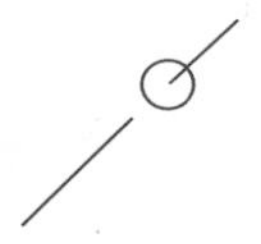

꾸밈이라는 단어 안에는 화장, '여성스러운' 옷 입기, 제모, 다이어트에서부터 각종 시술, 성형 수술 등 다양한 스펙트럼이 포함됩니다. 한별 씨 얘기를 하기 전에 잠시 원희 씨의 이야기를 먼저 하겠습니다.

쌍꺼풀 수술과 양악 수술을 한 원희 씨는 성형 후에 처음으로 누군가가 자기 마음을 재지 않고 열어주는 기분을 느꼈습니다. 늘 자신에게 시큰둥하거나 불친절하던 세상이었는데, 이제는 환한 얼굴로 다가오는 이들이 많습니다. 그런데 마냥 행복하지는 않습니다. 수술 이후 소개팅도 많이 들어오고, 아르바이트도 쉽게 구하니 이전의 자신이 너무 불쌍해진 것이죠. 아무리 노력해도 안 되던 일이 성형 이후 쉽게 이뤄졌을 때의 생경함. 조건 없이 친절한 세상을 바라고 한 성형이지만 마냥 기뻐할 수만도 없습니다.

사실 꾸밈, 특히 성형 수술 이후에 경험하는 몇 가지 감정이 있는데요. 자신감이 생기면서 긍정적인 자기상을 갖게 되기도 하고, 원했던 결과가 나오지 않아 심하게 후회를 하기도 합니다. 원하는 결과가 나올 때까지 계속해서 새로운 시술을 반복하기도 합니다.

반면, 자신이 원했던 변화이면서도 달라지는 대우에 어떤 태도를 취해야 할지 갈등하기도 합니다. 이 사람은 나라는 사람을 제대로 알고 좋아하는 것인지, 내 겉모습을 보고 좋아하는 것인지 의문이 들기도 하죠. 원희 씨는 아마도 지금 이 상태에 있는 것 같네요.

때로 목숨을 걸어야 하는 수술을 한 사람들에 대해 '성괴(성형괴물)'나 '강남미인'과 같은 표현을 하는 경우가 많았습니다. 다행히 많은 사람의 노력 덕분에 이런 표현에 대한 문제 제기가 이루어지고 있고, 꾸밈을 부추기는 사회 구조와 분위기에 대한 비판적 접근도 계속되고 있습니다.

꾸밈 노동과 이중 구속

인터넷상에는 '꾸밈 노동'이라는 단어에 대한 비판도 많습니다. 자기가 좋아서 하는 일이고, 누가 강제로 시킨 것도 아닌데 노동이라고 할 수 없다는 거죠. 더 안타까운 건 이런 말을 자기 자신에게 하는 경우입니다. '화장하기 싫으면 안 해도 되는 건데, 나는 용기가 없어 꾸미면서 불평을 하는 건가?'

어떤 이는 경쾌하고, 자발적이며, 즐기는 행위처럼 느껴지는 '꾸밈'이라는 단어가 의무를 암시하면서 다소 무거운 느낌을 지닌 '노동'이라는 단어와는 어울리지 않는 것처럼 생각합니다. 그러나 무언가가 의무가 되지 않으려면 그 행위를 하지 않아도 되는 권리가 주어져야 합니다. 꾸밈에 대해 '이 정도는 예의지. 이 정도는 기본이지.'라는 식의 압력이 있다는 사실은 부정하기 어렵습니다.[15]

꾸밈 노동이라는 단어는 꾸미는 행위가 가지고 있던 속성의 중요한 부분을 밖으로 끄집어냅니다. 이로 인해 우리는 꾸미는 행위의 본질에 직면하게 되지요. 사실, 직면은 낯설고 어색한 일이어서, 우리는 여태 꾸밈에 노동이 포함되어 있다는 사실을 은연중에 피했습니다. 그러는 과정에서 꾸미는 행위에 대한 몇 가지 이중적인 생각이 만들어졌어요.

첫 번째, 예뻐야 하지만 그것이 인위적이고 절박한 결과물이면 안 됩니다. 꾸밈에는 쿨한 태도를 가져야 합니다. 그래서 성형은 부끄러운 일이 되고, 사람들은 마른 몸매의 여자 아이돌이 체중에는 신경 쓰지 않는다는 듯이 복스럽게 먹는 모습을 흐뭇하게 지켜봅니다. 그 모습 뒤의 과정은 부인하지요. 예뻐지는 것에 집착하는 모습을 보이지 않으면서 자연스럽게 예쁨을 달성해야 합니다. 먹어도 살이 안 찌는 체질이거나 건강한 운동으로만 체중을 유지해야 합니다. 민낯 같은데 예뻐야 하고요. 하이힐을 신었을 때 뒤뚱거리거나 아파하는 모습은 보는 이를 불편하게 합니다.

두 번째, 꾸민다면 자신이 원해서 하는 행위여야 합니다. 이러한 상황은 그레고리 베이트슨(Gregory Bateson)이 말했던 이중 구속(double bind)의 일종입니다. 이중 구속은 표면의 메시지와 이면의 메시지가 상반된 것을 의미하는데요. 예를 들어, 양육자가 아이에게 "원하는 걸 편하게 골라."라고 말하고서는 양육자가 내심 원했던 쪽을 아이가 선택하지 않으면 언짢은 표정을 짓는 겁니다. 겉으로는 선택을 표방하지만 실제로는 그 선택을 하지 않았을 때 유무형의 손해가 주어지는 상황인 것이지요.

그리고 선택을 했을 때는 보상이 주어집니다. (지적을 당하지 않는 보상, 일이나 연애에서 선택권이 넓어진다는 보상 등) 그러나 보상이 따라온다고 해서, 원해서 하는 일이라고만 치부할 수 없을 겁니다. 이렇게 꾸밈이라는 행위에 여러 가지 속성이 존재한다는 것을 짚고, 다시 한별 씨의 사례로 넘어가 보겠습니다.

코르셋에서 탈코르셋으로

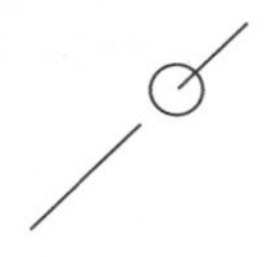

2015년에 시작되어 2018년에 온라인에서 빠르게 확산된 탈코르셋 운동은 현재 진행형입니다. 탈코르셋 운동이 무엇인지를 이해하려면 일단 코르셋이 무엇인지를 알아야 합니다. 코르셋은 몸매를 유지하기 위해 여성의 몸을 조이는 도구인데요. 탈코르셋에서 말하는 좁은 의미의 코르셋은 이름으로 짐작할 수 있듯 화장품, 하이힐 등 여성에게 강요되는 외모 기준을 의미합니다. 넓은 의미에서는 '규범적인 여성을 만들어내는 데 필요한 행동 양식'이라고 할 수 있습니다.[16] 예를 들어, 아이 같은 목소리로 애교를 부리는 '애기어'가 이에 해당하지요.

성평등에 눈을 뜰수록 우리 삶 곳곳에 코르셋이 자리하고 있다는 걸 알 수 있습니다. 이전에도 불편함이 없지는 않았겠지만 불편한 진짜 이유는 몰랐을 수 있습니다. 본인의 외모가 마음에 들지 않을 때 자신이 부족해서라고 생각하는 것처럼요. 본인이 대세를 따라가지 못하는 건데 불만만 많은 거라고 생각했을 수도 있어요.

반대로 누군가가 외모 칭찬을 해주거나 여성스럽다고 말할 때 기쁘면서도 한편으로는 이 상태를 계속 잘 유지해야 한다는 불안이 따라왔을 거예요. 또는 평가를 당하고 있다는 생각에 뭔가 불편한 마음이 들었겠죠. 그러고는 다시 자책했을지 모릅니다. '저 사람은 좋은 뜻으로 하는 말인데, 나는 왜 이렇게 꼬였지?' 같은 생각을 하면서 말이죠.

코르셋은 다양한 방식으로 개인을 둘러싸고 있습니다. 문제는 이런 코르셋이 진심 어린 염려와 함께 다가온다는 거죠. 어릴 때 무심코 가스 불에 가까이 다가갔다가 엄마에게서 들은 "여자애가 얼굴 다치면 시집 못 간다."라는 말, 대학에 가서 친구들에게 듣는 "너는 조금만 꾸미면 예쁠 텐데." 라는 말에도 모두 따뜻함과 걱정이 함께 담겨 있습니다. 그리고 마지막에는 자기가 자기 자신에게 염려의 말을 건네죠. 한별 씨도 바로 이런 경우입니다.

코르셋의 복잡함

코르셋을 자세하게 들여다보는 일은 어렵고 복잡합니다. 한 사람의 겉모습과 정체성은 완전히 별개의 것도 아니지만 그렇다고 온전히 일치하는 것도 아니거든요. 겉모습이 자신의 전부일 수는 없지만 그렇다고 자신의 정체성은 어딘가에 따로 있고 겉모습은 오로지 껍데기일 뿐인 것도 아닙니다.

겉모습과 정체성 사이에서 '여성성'을 생각하기 시작하면 문제가 더 복잡해집니다. 우리가 기왕이면 보기에 좋은 겉모습을 유지하고 싶어 하는 마음은 자연스러운 현상입니다. 그러나 꾸미는 행동이 여성성과 결부되어 있는 상황이다 보니, 어디까지가 인간이라면 누구나 갖는 욕망이고 어디서부터가 코르셋인지 파악하기 쉽지 않아요. 그래서 탈코르셋 이슈는 여성성의 개념을 어떻게 볼 것인지에 대한 근본적인 질문으로 이어지게 됩니다.

- 여성성과 남성성을 구분하는 이분법에는 문제가 없을까?
- 무엇이 여성성에 해당하고, 무엇은 해당하지 않을까?
- 여성만의 특성이라고 하기 어려운 인간의 보편적 특성이 여성성에 포함된 경우는 없을까?

젠더와 자기 자신은 따로 떼어놓을 수 없습니다.[17] 그렇기 때문에 여성이 여성성을 어떻게 보느냐에 따라 자존감과 정체성 형성에 영향을 줍니다.

자신이 생각하는 여성과 여성성 개념, 그리고 규범적 여성성. 이것들은 단단히 얽혀 있어서 확연히 구별하기 무척 어렵습니다. 만약 스스로도 구속이라고 느껴왔고 자신의 정체성과도 무관하다고 생각되는 것이 있다면, 현실적인 면을 따져 어느 정도 멀리하면 됩니다(물론 그것을 고민하는 것 하나만으로도 쉬운 일은 아니지만). 그런데 내가 나다운 것이라고 느꼈던 나의 외모가, 말투와 태도가, 성격이 알고 보니 내면화된 억압이라고 누군가 말한다면 어떨까요? 그리고 나는 그것들에 애착을 느끼고 있다면요?

이렇듯 자신이 기쁜 마음으로 이별하고 싶은 것, 코르셋이라는 건 알지만 나라는 사람의 일부로 너무나 깊게 자리 잡은 것, 그리고 코르셋이라는 주장에 동의할 수 없는 것. 이렇게 다양한 스펙트럼이 존재할 수 있습니다. 하나하나 분리하기가 어렵기도 하고, 설사 분리되더라도 마음의 준비가 되지 않은 상태에서 갑자기 잡아 뜯듯 떼어내는 일은 고통스럽습니다. 그러나 복잡하고 어렵고, 모두가 동의하는 정답을 도출하는 일이 쉽지 않다고 해서, 그것에 대해 고민하나 안 하나 마찬가지라는 뜻은 결코 아닙니다. 중요한 건 그 복잡성을 충분히 인정하고 혼란을 수용하는 것입니다.

혼란을 반가워하자

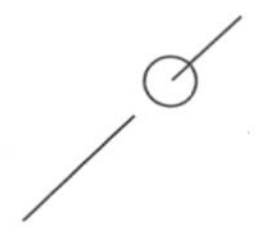

'쿠션어'라는 말이 있습니다. 다른 사람에게 의사 표현을 할 때, 직접적으로 단호하게 말하는 대신 원만한 관계를 위해 에둘러 말하거나, 더 상냥한 말투를 사용하는 언어 표현을 일컫는 말입니다. 쿠션어는 보통 여성이 더 많이 사용하고, 사회에서도 그러기를 바라는 편입니다.[18]

만약 여러분이 쿠션어에 대해 문제의식을 갖기 시작해서 사용을 조절해보기 시작했다고 칩시다. 처음에는 혼란스러울 거예요. 타인의 기분을 고려하여 의사 표현을 하는 것, 친절한 태도로 대하는 것은 인간 대 인간으로서 어느 정도 필요한 테크닉이다 보니, 무엇이 지나친 쿠션어이고 무엇이 아닌지 헷갈릴 수 있고, 강약 조절도 쉽지가 않습니다. 익숙하지 않은 방식으로 말하는 일은 어렵기도 하고요.

그러나 그동안 당연하게 사용하던 표현을 들여다보는 작업은 자신을 이해하는 데 아주 소중한 계기가 될 수 있습니다. 혼란스러워하는 자신을 미워하지 말고 잘 다독이고 격려한다면 말이죠. 기존의 공고하던 무언가를 들여다보고, 거기에 균열을 만들어 변화를 시도하는 과정은 절대로 깔끔하고 우아할 수 없습니다. '우당탕탕'과 '왁자지껄'이 존재하는 구간은 반드시 있어요.

예를 들어, '부모 성 함께 쓰기 운동'을 떠올려볼까요? 이 운동이 처음 시작될 때 어떤 사람들은 회의적으로 바라보았고, 발상 자체를 비웃기도 했습니다.

"그러면 김이와 최박이 만나면 그다음에는 김이최박이겠네요. 김수한무 거북이와 두루미처럼 성이 계속 길어지겠네요."에서부터, "어차피 그래 봤자 김이 씨도 최박 씨도 아버지 성에서 나온 건데 무슨 의미가 있어요?"라는 주장까지, 다양한 의견이 존재했어요.

부계 성을 따르는 체계가 너무 공고했으니 부모 성을 함께 쓰는 시도 역시 완벽하지는 못했어요. 마치 여성과 여성성과 규범적 여성성의 이슈에서 변화를 도모하는 일처럼 말이죠. 이런 시도가 부자연스러워 보일 수도 있습니다. 그러나 오히려 부자연스러워 보이는 그 지점을 통해 기존의 틀이 무엇이었는지를 발견하게 될 수도 있는 것입니다.

어떤 이들은 탈코르셋의 결과물이 왜 남자 같은 옷차림인지 반문합니다. 탈코르셋의 한계를 짚는 것처럼 느껴지지만, 그 질문을 오히려 잘 들여다보면 생각해볼 지점들이 많습니다. 코르셋을 벗었더니 왜 '남자 같아 보이는지' 생각해보면, 남성성이란 무엇인지, 또 성별을 떠나 사람에게 가장 편한 옷차림은 무엇인지에 대한 생각을 이어갈 수 있습니다.

같은 맥락에서 탈코르셋이 획일화를 강요한다는 주장 역시 우리에게 생각거리를 제공합니다. 탈코르셋 방식의 다양화를 함께 고민해볼 수도 있고, 어쩌면 이미 탈코르셋 안에 다양한 스펙트럼이 있는데, 코르셋에 익숙한 현재의 시각에서는 다 같은 것처럼 보이는 것은 아닌지를 생각해볼 수도 있습니다.[19]

실체 없는 위협, 섀도복싱

만약 탈코르셋에 관심이 있고 시도를 해보고 싶은데 고

민이 된다면 어떻게 접근해보는 것이 좋을까요? 먼저 탈코르셋을 하면 어떤 상황이 닥치는지 가늠해보아야 합니다. 예를 들어, 일자리에 따라 복장이나 화장 규정이 있어 지키지 않았을 때 불이익을 받을 수 있는 사람도 있습니다. 이런 경우에는 그곳에 속한 다른 이들과 함께 변화할 아이디어를 논의하는 것도 방법입니다. 여의치 않으면 일단은 현재의 한계를 받아들이고, 복장 규정에 대해 논의할 기회를 엿보는 것도 좋습니다. 중요한 건 실질적인 불이익이 있다면 자신을 잘 보호할 준비가 되어 있지 않은 상황에서 스스로를 위험으로 너무 갑자기 몰아넣지는 않았으면 합니다.

실질적인 위협에서는 어느 정도 떨어져 있다는 판단을 했다면, 지금 느끼는 코르셋이 어쩌면 섀도복싱의 성격을 띠고 있는 건 아닌지 점검해보아야 합니다. 섀도복싱은 사람 없는 허공에 대고 혼자 하는 복싱 연습을 뜻하는 말인데요. 위협의 실체가 없거나, 있더라도 그렇게 무시무시한 건 아닌데 미리 그 위협이 어마어마할 것이라고 짐작하고 혼자 스트레스를 받는 것이죠.

물론 현실에서 어떤 방식으로든 억압이 존재한다는 사실을 압니다. 싫은 소리를 듣거나 불리한 일이 있을 수도 있고요. 그럼에도 이런 제안을 하는 이유는 섀도복싱을 하느라 불필요한 감정 소비를 하는 경우가 많기 때문입니다. 또 이런 시도를 하지 않으면 그것이 애써서 입지 않아도 되는 코르셋이었는지 아닌지를 구별할 수가 없기 때문입니다.

내가 꾸미지 않으면 큰일이 일어날 것만 같았는데, 막상 실제로 꾸미지 않았을 때 그렇게까지 엄청난 일은 일어나지 않을 수 있습니다. 물론 핀잔이나 비아냥거림은 들을 수 있겠지만요. 원치 않는 반응을 '아예 안 듣는 것'을 목표로 하기보다, 좀 듣게 되더라도 그것이 나를 정말 위협할 수 있는 건 아니라는 경험을 한두 번씩 해보면 좋겠습니다.

'나는 ㅇㅇ를 하면 안 돼.'보다는 'ㅇㅇ를 내가 할 필요 없고, 하고 싶지 않아.'라는 생각이 드는 것부터 시도해보세요. 물론 때로는 원하는 방향으로 가기 위해 자신에게 'ㅇㅇ하면 안 돼.' 같은 명령을 내리면서 인내심을 발휘해야 할 때도 있습니다. 그러나 그런 명령이 삶에서 지나치게 많은 비중을 차지하면 초자아에만 휘둘려 일상이 너무 무거워질 거예요.

그러니 '이건 내가 불편을 감수하면서까지 할 필요 없는 행위야.', '이건 내가 실은 억지로 하고 있는 거였지.'라는 생각이 더 강하게 드는 것부터 변화를 시도해보는 게 낫습니다. 물론 처음에는 구별이 어려울 거예요. 어느새 매일 화장을 하거나 하이힐 신고 뛰는 것도 익숙해졌을 수 있죠. 사람

몸은 생각보다 주어진 상황에 금방 적응하니까요. 하지만 시간을 가지고 천천히 자신을 들여다보면, 서서히 보이기 시작하는 것이 있을 겁니다.

앞서 말했듯 외모 이슈에는 여성성, 몸, 정체성, 취향, 매력, 유행, 문화, 규범 등 많은 것이 단단히 얽혀 있습니다. 다른 많은 주제도 그렇지만 외모 문제는 특히나 더 복잡합니다. 그러니 자신도 모르게 영향을 받을 수 있는 분야라는 것을 인정하세요. 한 번에 완벽해지는 방법은 없으니 일단은 들여다보고 싶은 만큼만 하나하나 천천히 들여다보세요. 세상에는 모 아니면 도만 있는 것이 아니라, 사이에 개, 걸, 윷도 있습니다.

변화를 시도해보고 싶다면, 하나씩 찬찬히 시작해보세요. 그리고 각각 느낌이 어떤지 관찰해보세요. 자유로운지, 겁이 나는지, 불안한지 가늠하다 보면 자신이 되고 싶은 자기 모습에 점점 더 가까워질 거예요.

수치심을 대하는 방법

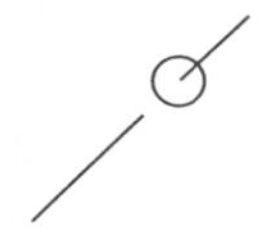

이제 한별 씨의 고민을 좀 더 자세히 살펴보겠습니다. 한별 씨가 매니큐어를 왜 숨겼을까요? 순간적으로 수치심이 들었기 때문입니다. 누가 정말로 뭐라고 하지 않아도 스스로 그런 감정이 들었던 것입니다. 다른 사람이 기대하는 나, 그리고 내가 기대하는 나에게 본인이 부합하지 못해 느끼는 수치심은 굉장히 고통스럽고 꽤나 화끈거리는 감정입니다.

다행히 한별 씨는 자기 안에서 수치심을 견디고 품는 사람입니다. 수치심을 너무 빨리 분리수거해서 해치우려고 하지 않았습니다. 많은 이가 외부에서 지적을 받거나, 지적받는 것 같은 느낌이 들거나, 아니면 스스로 괜히 불편한 마음이 들면 괴로워합니다. 그리고 대부분 그 감정을 어떤 식으로든 서둘러 없애는 데에 집중하죠. 그럴 때 제일 간편한 방법은 무언가를 탓하는 것입니다. 상대를 탓하거나, 자기 자신을 탓하거나.

자신을 탓할 때는 스스로를 무작정 꾸짖으며 한심하게 여깁니다. 자신의 한 부분을 부끄럽게 여기는 것과 존재 자체를 부끄럽게 여기는 건 하늘과 땅 차이인데요. 아이러니하게도 자신을 실컷 비난하는 방식으로 존재 자체에 대한 수치심에 푹 빠져듦으로써 정작 관심을 가지고 살펴주어야 할 수치심은 잊어버립니다.

반대로 수치심을 정당화하기 위해 상대를 탓할 때도 있습니다. 예를 들면 (자신에게 수치심을 안겨주는) 탈코르셋 자체가 나쁘다고 주장하는 것이죠. 그렇게 하면 자신이 수치심을 가지지 않아도 되기 때문입니다. 이렇게 서둘러 정당화하는 행위는 진짜 살피고 다루어주어야 할 감정의 본질을 보지 못하게 방해합니다.

어떤 사안에 대해 반드시 옳고 그름을 가려야 할 때도 있지만 감정에 관해서만큼은 그렇지 않습니다. 그런데 수치심은 존재해서는 안 되는 감정이라고 생각하기 쉽습니다. 그런 전제 위에 있으면, 누군가는 반드시 수치심을 일으킨 범인이

어야 하는 상황이 됩니다. 내가 별로인 사람이거나, 저쪽이 지나치게 나쁜 사람이라는 (저들이 아니라면 나는 이런 느낌을 안 가져도 되는데!) 두 가지 가능성만 존재하니까요.

한별 씨도 지금 느끼는 감정을 임시 보관함에 좀 더 담아두면서, 감정이 들려주는 메시지를 천천히 살펴보는 게 좋을 것 같네요.

나의 중요한 일부로서의 외모

앞서 나온 원희 씨 사례도 다시 이야기해보겠습니다. 원희 씨는 이미 수술을 했지만, 성형을 할까 말까 고민하는 사람도 많습니다. 성형을 하라거나 하지 말라는 얘기를 다른 사람이 해줄 수는 없습니다. 다만, 성형했을 때의 이점과 단점을 충분히 인지하고, 스스로 방향을 잡아야 합니다.

성형을 했을 때 경쟁력이 높아진다고 생각한다면 밀고 가세요. 단, 혼동하지 말아야 할 점이 있습니다. 자신을 보는 다른 사람들의 시선이 달라졌을 때, 이것을 자신의 전부로 여기지는 말았으면 합니다. 자신의 일부, 일종의 활용 가능한 자원이라는 것을 잊지 않으면 좋겠습니다.

외모에 따라 타인을 극단적으로 다르게 대하는 사람이나 환경이 있다는 사실을 부인하고 싶지는 않아요. 엄연히 존재하는 현실이니까요. 중요한 건 성형 후 달라진 대우가 자신의 진짜 가치와는 별개이듯, 성형 전의 나에 대한 이유 없는 혹독한 대우 역시 자신의 진짜 가치와는 무관한 것이었다는 사실입니다. 혹독한 대우로 인해 앞날을 방해받지 않기 위해, 그리고 자신의 편리함을 위해 어디까지 맞추고, 어디서부터는 맞설지 고민해나가며 살면 그것으로 충분합니다.

하나 더 말씀드리면, 성형을 하더라도 사람들의 대우가 내가 기대했던 것만큼 드라마틱하게 바뀌지 않을 수 있습니다. 오히려 더 부정적인 반응을 보일 수도 있어요. 이 사실을 꼭 미리 염두에 두어야 합니다. 이것을 간과한다면, 이후에 더 분노하거나 자책할 수 있습니다. 그러므로 성형을 하더라도 '(나의 시선에 이미 타인의 시선이 어느 정도 녹아 있기는 하지만)내가 나를 보았을 때에도 만족스러운가?'를 기준으로 삼으면 좋겠습니다. 외부 반응은 예측하기 어려운 변수이니까요. 그러므로 후에 '내가 성형을 왜 했지?'라는 질문에 대한 대답에 '스스로 추구하는 스타일이 있었기 때문에'라는 답이 포함되어 있으면 좋겠네요.

웹툰 〈내 ID는 강남미인〉의 주인공 강미래처럼, 그리고 원희 씨처럼 바뀐 외모에 사람들이 환영해줄 때 오히려 움츠러드는 이가 훨씬 많습니다. 여러분은 그러지 않으셨으면 좋겠어요. 성형을 통해 달라진 외모는 물론, 이로 인해 찾아온 행복 역시 당신의 중요한 일부이니까요.

chapter 11

남자친구가 저를 질투해요

두 살 위 남자친구 기영 씨와 2년 정도 만난 수민 씨. 결혼까지도 생각했던 기영 씨와 최근 이별을 고민 중이다. 수민 씨가 공기업 입사에 성공하면서 싸움이 잦아진 것이 주요 원인이다. 기영 씨는 대학원에서 박사과정을 밟고 있고 자신의 연구에 열심인데, 수민 씨가 직장인이 되면서 둘 사이에 변화가 생기게 된 것이다.

기영 씨는 일찌감치 자신의 부모님께, 나중에 결혼했을 때 며느리에게 간섭하거나 결혼 생활에 참견하면 얼굴을 보지 않을 것이라고 말해두었다. 부모님 역시 아들을 어려워해 마음대로 하라고 하였다고. 아들과 같이 살 바에야 이민 가서 살겠다고 할 만큼 아들을 버거워한다.

"기영 씨 어머니가 시집살이를 호되게 해서 20년 넘게 우울증 약을 드시고 계세요. 이 문제로 기영 씨가 아버지에게 엄청 대들었나 봐요. 만나기만 하면 싸우니까 어머니도 아예 기영 씨더러 집에 자주 오지 말라 하세요. 기영 씨는 아버지만큼 어머니에 대한 원망도 큰 것 같아요. 어머니가 계속 아버지 편에만 서는 게 답답하고 화가 난대요."

수민 씨가 페미니스트라는 걸 알았을 때도 기영 씨는 좋아했다. 자신의 어머니처럼 살지 않을 것이라는 기대감 때문이었다고 한다. 수민 씨는 그런 기영 씨를 좋은 결혼 상대로도 생각해왔다.

직장인이 된 수민 씨는 여유가 있는 사람이 배려하는 게 당연하다고 생각했기에 자연스럽게 데이트 비용을 더 많이 부담했다. 대학원생보다 상대적으로 자유 시간도 많아서 기영 씨 학교 근처로 가서 기다리는 날도 많아졌다.

"자주 가는 단골 바에서였어요. 홀 중앙에 텔레비전이 설치되어 있는데 뉴스에 저희 회사 이야기가 나오더라고요. 저도 모르게 '어, 우리 회사다!'라며 반가워했죠. 그랬더니 대뜸 '저게 왜 네 회사야. 공기업이면 나라가 소유주인데.'라면서 갑자기 제 말에 이상한 트집을 잡는 거예요. 그 순간 너무 못나보였어요. 그러다가 말다툼하게 되고…"

수민 씨 눈에는 기영 씨의 마음이 계속 왔다 갔다 하는 것 같다. 사실 수민 씨가 취업을 준비할 때 오히려 기영 씨가 먼저 이것저것 챙기면서 정보를 알아봐주기도 했다. 합격했을 때도 함께 기뻐했다.

그러다 최근 기영 씨 친구들이 남자가 버는 돈이 더 적어서 괜찮겠냐고, 공기업 다니는 여자면 주변에서 가만 안 둘 텐데 불안하지 않느냐고 말하기 시작한 것이다. 덩달아 수민 씨가 기영 씨의 눈치를 살피는 날이 많아졌다.

"주변에서 조금씩 거드는 말들이 기영 씨를 자극하는 것 같아요. 안 그래도 자존심이 센데 친구들도 다 알면서 왜 그러는지…. 어느 날은 '내 친구들이 이래서 날 부러워하나 봐. 다들 너라는 보험이 있어서 든든하겠대.'라고 하는데 거기서 무슨 말을 어떻게 해야 할지 몰라서 그냥 가만히 있었어요."

수민 씨는 취업에 성공했을 때, 남자친구가 자존심 상하지는 않을까 걱정했지만 진심으로 기뻐하는 기영 씨를 보며 안도감이 들었다. 그런데 시간이 지나면서 자신의 안도감이 틀렸다는 생각이 든다. 기영 씨 친구들만큼이나, 수민 씨 친구들도 수민 씨를 부추기는 말을 한다.

"제 친구들은 '남자친구 박사 졸업은 대체 언제 한대? 야, 네가 아깝다.', '네가 뭐가 아쉬워서 남자를 먹여 살리고 있냐?' 이런 식으로 말해요."

수민 씨는 기영 씨의 여전히 사랑스러운 모습과, 갑자기 드러난 날카로운 모습을 함께 경험하며 혼란스러워하는 중이다.

관계를 결정하는 여러 가지 조건

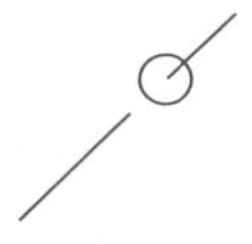

겉으로 보기에는 평범한 연인의 모습이나 안으로 들어가 보면 여러 상황이 복잡하게 맞물려 있습니다.

먼저, 수민 씨의 묘사를 토대로 기영 씨 마음의 몇 가지 조각을 최대한 짐작해봅시다. 기영 씨는 아마도 자신의 어머니를 보면서, 사랑하는 사람이 고통을 겪는 상황을 다시 목격하고 싶지 않다는 강한 바람을 가지게 된 것 같습니다. 그냥 지켜보는 것만으로도 괴로운데, 고통을 겪는 어머니가 저항하지 않을 때 기영 씨는 무력감과 죄책감을 느꼈을 거예요. 물론 기영 씨 어머니가 그렇게 행동할 수밖에 없었던 데에는 여러 이유가 있었겠지만요.

기영 씨는 수민 씨가 스스로를 어머니처럼 착취당하는 상황에 그냥 둘 사람은 아니라고 느낀 듯합니다. 수민 씨의 힘을 믿은 것이죠. 그러면 옆에 있는 자신도 무력감이나 죄책감을 느끼지 않을 수 있고요.

기영 씨는 수민 씨를 지키려는 노력도 합니다. 주변을 보면 아들과 그 가족이, 어머니의 희생에 보답하기 위해 며느리를 동원하는 경우가 있는데요. 기영 씨는 단호하게 대처합니다. 그로 인해 자의든 타의든 부모님은 아들의 결혼 생활에 간섭하기를 단념하지요. 기영 씨의 이런 행동은 미래의 배우자를 보호하는 데 도움이 될 가능성이 높습니다. 갈등을 대물림할 확률도 더 적고요.

한편으로 기영 씨는 수민 씨보다 경제적으로 불안정하다는 사실과 자신이 누군가에게 의존적인 상태가 된 상황을 견디기 힘들어하는 듯합니다. 의존은 여러 종류가 있는데요. 서로가 서로의 더 강한 부분에 의존하는 행위는 자연스럽고도 건강한 의존입니다.

반면, 건강하지 못한 의존도 있는데요. 강자가 선택권 없는 약자에게 의존하는 경우입니다. 예를 들어, 아이가 매일같이 부모의 하소연을 들어주고, 부모 사이의 갈등을 중재해야 하는 상황에 처하는 경우가 그렇습니다. 자신이 할 수 있거나 해야 하는 무언가를 타인에게 기대하는 것도 건강하지 못한 의존입니다. 자식이나 배우자가 출세하지 못하면 자신이 복이 없고 불행하다고 여기는 일이 한 예입니다. 자신의 행복감은 자신 안에서 추구하고 만들어나가야 하는데도 말이죠. 이런 말을 들은 사람은 상대를 만족시켜 주지 못했다는 불필요한 죄책감을 떠안게 됩니다.

지금 기영 씨는 수민 씨에게 잠시 건강한 의존을 하고 있을 뿐입니다. 그런데 기영 씨는 수민 씨에게 의존하는 상태라는 사실에 열등감을 느끼는 것 같네요. 자신이 누군가에게 마음 편히 의존하는 경험을 할 수 있다는 건 오히려 자신에게 힘과 용기가 있다는 뜻인데도 말이죠.

성별에 따른 규범들

연인 사이에서 경제적, 사회적 격차로 갈등이 생기는 상황이 드문 일은 아닙니다. 그러나 수민 씨와 기영 씨의 경우에는 성별에 따라 기대하는 역할 때문에 문제가 더 커졌습니다. 기영 씨가 수민 씨에게 보이는 모습은 기영 씨가 남성으로서 받는 압력이 크게 작용했다고 봅니다.

흔히 여성성은 의존적이고, 관계 지향적이며, 수동적이고, 조심성이 많은 특성을 의미하고, 남성성은 독립적이고, 자율적이며, 적극적이고, 위험을 감수하는 특성을 담고 있다고 묶일 때가 많습니다.[20] 그리고 이런 고정관념이 문화적 규범처럼 작동할 때가 많죠. 그래서 남성이 여성보다 더 높은 사회 경제적 위치에 있어야 하고, 여성은 남성보다 타인의 감정을 더 잘 돌볼 수 있어야 한다고 여깁니다. 이러한 생각은 자기 내면에서 올라오기도 하고, 다른 사람의 말을 들으며 만들어지기도 합니다.

그런데 자신의 모습이 이런 규범과 다르다는 감각은 자기 자신이 부적절하다는 감각으로 이어질 수 있습니다. 다른 성별이 가져야 더 마땅하다고 여겨지는 특질(내적, 외적 상태를 모두 포함)이 자신 안에 있다는 것을 발견할 때 개인은 두려움을 느낄 수 있습니다. 그때 이 감정을 어떻게 들여다보고 소화시키는지가 중요합니다. 이것이 잘되지 않으면 어떤 사람은 화살을 안으로 돌려 자신이 부적절하다고 느끼기도 하고, 어떤 사람은 화살을 밖으로 돌려 자신에게 그런 느낌을 주는 상대를 겨누기도 합니다. 또는 자신 안에 존재하는 다른 성별의 특질을 부정하기도 하죠.

예를 들어, 어떤 남성은 자신이 독립적이어야 한다는 생각에 사람이라면 누구나 갖고 있는 의존성을 지나치게 두려워할 수 있습니다. 그 결과 물리적으로나 심리적으로 본인을 고립시키고 도움을 거절하여 고통받거나, 실제로는 상대에게 의존하고 있으면서도 그 사실을 부인하여 도움을 주는 상대가 분노를 느끼기도 합니다.

다른 예로 누군가를 돌보는 일에 관심이 덜한 여성은 그런 자신이 부족하다고 느끼거나, 관계를 억지로 이어가면서 고통받기도 합니다. 한 사람 안에는 이른바 '여성적'이거나 '남성적'인 특성 하나만 있는 것이 아닌데, 우리는 마치 하나의 특성만 가져야 할 것처럼 생각합니다.

이런 생각은 가족 안에서도 이어집니다. 가부장적인 가족 환경에서 권위적인 아버지에 대한 거부감을 가지면서도 성별에 따른 역할 수행에 대한 엄격한 잣대를 내면화하는 것이죠.[21] 기영 씨는 지금 가지지 않아도 될 수치심을 가지고 있습니다. 여성보다 사회 · 경제적으로 밀리거나 의존하게 되는 것은 남성으로서 부끄러운 일이라고 생각하고, 이에 미치지 못하는 자신을 보면서 괴로워하는 거지요.

안타까운 건 수치심을 느끼는 계기를 '제공한' (잘못은 없는) 수민 씨에게도 날카로움이 향하는 바람에 기영 씨 자신의 소중한 관계마저 위기에 처하게 만들고 있다는 점입니다.

수민 씨를 잃을지 모른다는 두려움, 자신이 약하고 열등하다는 느낌이 들게 된 상황에 대한 분노, 자신 안에서 감지된 의존성에 대한 부적절감, 남성성이 약해진다는 수치심 등이 뒤섞여 있는 상태입니다.

하지만 이것은 기영 씨 안에서 발생한 감정이지 수민 씨의 탓이 아닙니다. 수민 씨는 이 점을 확실하게 알아야 합니다. 자신의 성취가 기영 씨에게 미안한 일이 될 필요는 없습니다. 수민 씨가 위축되지 않았으면 좋겠습니다.

염려를 가장한 억압의 말

그렇다면 이런 상황에서 수민 씨는 어떻게 의사결정을 하는 게 좋을까요? 지금 일단 수민 씨와 기영 씨는 (염려를 가장한 억압이 담긴) 주변의 말을 듣고 생긴 욕구와 자신의 진짜 욕구를 구별해야 합니다. 우리는 때로 남을 염려하는 마음에서 시작하나 결과적으로는 틀에 가두는 발언을 할 때가 있습니다.

지금 기영 씨와 수민 씨도 각자의 주변인에게서 그런 발언을 계속 듣고 있습니다. 사람들이 별다른 고민 없이 던지는 클리셰 같은 말로 인해 자신이 못났다는 생각, 자신이 끌려 다닐지도 모른다는 생각, 자신이 손해 본다는 생각을 할 수 있습니다. 이런 마음이 연인과의 관계에 영향을 주기도 하죠. 이런 말로부터 자신을 잘 지키려면 자신의 진짜 우선순위가 무엇인지에 대해 시간을 들여 차분하게 파악하는 작업이 필요합니다.

"그런 상황이면 이렇게 해야지."라고 쉽게 말하는 이가 주변에 꼭 한두 명씩은 있는데요. 별 생각 없이 하는 말이어도 반복해서 들으면 흔들리는 게 사람 마음입니다. 그럴 때 마음 안에 우선순위가 대략적으로나마 갖춰져 있는 상태라면 덜 헷갈릴 수 있습니다.

어쩌면 수민 씨가 공기업에 취직한 사건은 그저 하나의 트리거일 뿐이고, 둘 사이의 갈등은 이미 예전부터 시작되고 있었을지도 모릅니다. 그것이 수민 씨의 취직과 주변 사람들의 말을 계기로 수면 위로 끌어올려진 것일 수도 있습니다. 갈등이 커지는 건 시간문제일 뿐이었던 거죠. 만약 그게 아니라면 어떨까요? 사실은 서로의 관계를 잘 지키고 싶은 마음이 더 컸고, 주변인의 우려가 수민 씨와 기영 씨에게는 그다지 중요한 요소가 아니었다면요.

타인의 시선에서 자신의 시선으로

요즘 각종 미디어에서는 '타인의 시선을 의식하지 말라'는 주문을 많이 합니다. 수민 씨와 기영 씨가 친구들에게서 들어왔던 말만큼이나 클리셰가 되어버린 표현이지요. 어느 정도는 맞는 말입니다. 그러나 의식을 안 하고 싶어도 의식이 되니까 힘든 게 아닐까요? 그리고 타인의 시선 중에서 도움이 되고 참고할 만한 부분이 존재하기도 하고요.

저는 여러분이 '타인의 시선을 의식하면 안 되는데 의식하는 못난 나'라는 수치심의 방을 만들고 순식간에 그 안으로 들어가기 전에, '타인의 시선에서 자유롭기란 정말 어려운 일이지.'라고 인정하는 일을 먼저 시작했으면 좋겠습니다. 그래야 어느 정도의 골라내기 작업이라도 할 수 있기 때문입니다. 그러지 못하면 수치심의 방에 갇힌 채 계속 자책만 하거나 실은 타인의 시선일 뿐인데 (자신이 타인의 시선을 의식한다는 사실을 인정하고 싶지 않은 마음 때문에) 그것이 자신의 시선이라고 합리화해버릴 우려가 있습니다.

사실 감정은 사회화되므로 내 것과 아닌 것을 구별하기 어려울 때가 많습니다. 그러나 정도의 차이를 생각하면 아쉬운 대로 어느 정도 구별해 낼 수 있습니다. 완벽한 구별이 아니라 '아쉬운 대로'의 구별이 중요합니다. 욕구와 감정을 들여다보았을 때 내 것과 더 가까운 것과 먼 것을 구별하는 건 가능합니다. 나의 시선과 명백히 멀리 있는 것부터 조금씩 분류해 보았으면 합니다.

나의 기분을 존중할 것

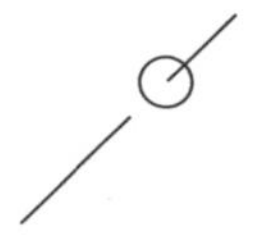

수민 씨와 대화를 나누는 동안 마음에 걸리는 부분이 있었는데, 그건 페미니스트라는 정체성을 대하는 자신의 태도였습니다. 대화 내내 자신의 정체성을 남자친구가 '받아주었다는' 사실에 안도하는 것 같았거든요. 또한 기영 씨가 부모님에게 단호한 것도 감사해야 할 일인 것처럼 생각합니다. 수민 씨에게 페미니스트라는 정체성은 마치 다른 이에게 허락받아야 하는 무언가인 것만 같네요. 하지만 그것은 허락받아야 할 것도, 상대에게 감사해야 할 것도 아닙니다.

물론 이런 마음이 들 수밖에 없는 사회적 상황과 수민 씨의 심정을 모르는 것은 아닙니다. 기영 씨가 페미니즘에 거부감이 없다는 사실이 큰 장점으로 느껴지는 것도 이해합니다. 하지만 수민 씨가 다시는 이런 사람을 만날 수 없겠다는 생각으로 기영 씨를 만나는 거라면 처음부터 다시 생각해야 합니다. 기영 씨의 매력과, 페미니즘적 생각과 행동을 용인해 줄 수 있는 사람을 못 만날 것 같다는 두려움을 구별하는 일은 매우 중요합니다. '이 사람이 아니면 안 된다'는 불안감은 상대를 편하게 대하기 어렵게 만들기 때문입니다. 내가 너무 절박하다는 느낌이 들면 여유를 가질 수 없고 건강한 관계를 유지하기 어렵습니다. 서로 동등한 힘을 가진 관계라고 느낄 때, 여유가 생기고 각자의 개성에 대해 오히려 더 관대해질 수 있어요.

또한 페미니즘에 대한 수용을 상대의 '양보'라고 느끼는 순간, 이것을 마치 자신의 약점이라도 되는 것처럼 여기게 됩니다. 진심으로 약점이라고 생각한다는 뜻이 아니에요(스스로가 별로라고 여기는 가치관을 왜 채택하겠습니까!). 다만 페미니즘에 대한 비난을 접할 때, 마음의 언어적 영역에서는 그렇지 않더라도 비언어적 영역에서는 자신의 가치관이 '마치 위험하기라도 한 것 같은' 느낌을 가질 수 있기 때문에 하는 말입니다. 페미니즘에 대한 부정적 반응이 나도 모르는 사이에 자신에 대한 부정적 느낌으로 이어지는 경로를 주의 깊게 살

필 필요가 있습니다.

자녀에게 "네가 공무원을 했어야 하는데 만화를 그린다고 해서 불행해."라고 말하는 양육자가 있다고 칩시다. 양육자가 불행하다고 느끼는 건 자녀의 잘못 때문이 아닙니다. 그런데 자녀는 자신의 잘못이 아니라고 생각하고 겉으로도 그렇게 말하는 한편으로 마음속 깊은 곳에서는 비난을 내면화하여 죄책감을 느낄 수 있습니다. 무의식에서는 자신도 모르게 자신을 나쁜 아이로 느낄 수 있는 것이죠.

세상에는 페미니즘에 대한 다양한 의견이 존재하고 있는데, 현실을 외면하거나 어떤 상황에서도 똑같은 태도를 취하라는 뜻은 아닙니다. 직장이나 관계에서 자신을 잘 보호하기 위해서라도 현실이 어떤지 과장이나 축소 없이 있는 그대로 파악하는 일은 중요하니까요. 다만 그러면서 동시에 페미니즘은 본인에게 약점도, 위험한 것도, 허락받아야 할 무언가도 아니라는 사실을 스스로에게 계속해서 잘 알려주어야 합니다. 페미니즘은 타인을 일시적으로 불편하게 할지도 모르지만, 다른 사람을 진정으로 해롭게 하지 않으며 오히려 모두에게 도움이 된다는 점을 믿고 자신감을 가지면 좋겠습니다. 이런 마음으로 인간관계를 유지할 때 비로소 여유를 가질 수 있을 거예요.

이 연애에서의 나 자신이 마음에 드는가

저는 수민 씨에게 '건강한 갈등'을 경험해보라고 제안하고 싶습니다. 갈등의 존재 여부가 아니라 갈등을 해소하는 방식이 잘 맞는지가 연인 관계를 결정합니다. 겉으로 갈등이 없다는 건 어쩌면 한쪽이 무언가를 감내하고 있다는 뜻일 수도 있습니다.

기영 씨의 진심에 말을 걸어보는 것도 좋습니다. 직장에서의 인간관계는 적당한 거리를 두고 타인의 진심에 매달리지 않는 게 좋을 수 있습니다. 하지만 연인 관계에서는 속마음을 드러내는 게 오히려 문제의 실마리를 푸는 계기가 될 수 있어요.

기영 씨 안에는 지금 수민 씨가 떠날까 봐 불안해하는 마음도 있습니다. 서로 좋은 관계를 지속하고 싶은 마음을 믿고, 심리적 방패를 가능한 한 걷어내 보세요. 각자의 소망과 두려움을 꺼내 테이블 위에 올려놓는 것이죠. 물론 쉽지 않은 일이기는 합니다. 만일 기영 씨가 '갈등이 존재하고 있다는 사실' 자체를 부인한다면, 진심의 테이블에 앉는 일부터가 쉽지 않겠지요. 설득해서 테이블에 앉더라도 방패를 쉽게 내려놓지 못할 거고요.

한 가지 덧붙이자면 갈등을 풀어가는 과정에서 수민 씨가 기영 씨의 반응만 좇지 않기를 바랍니다. 기영 씨를 대하는 '자신의 모습'이 마음에 드는지도 함께 고민해보세요. 관계에서 상대의 심기를 거스를까 봐 조마조마해하거나, 떠날까 봐 자신의 진심을 숨겨야 하는 관계라면 그 관계는 건강하지 못한 것입니다. 결코 오래갈 수 없습니다. 정확히 설명할 수 없는 불편한 감정이 들수록 자주 멈춰서 그 감정을 살펴야 합니다.

연애는 둘이서 하는 것이므로, 기영 씨의 기분만큼 수민 씨 자신의 기분도 소중하게 여겨야 합니다. 상대의 감정을 고려할 때와 동일한 수준으로 자신의 감정을 대해주기만 해도 동등한 관계를 만들 수 있습니다.

위의 제안을 실행하는 일이 가능하려면 하나의 조건이 필요합니다. '갈등을 다루는 과정에서 이 관계가 종결될 수도 있다'는 사실을 받아들이는 일입니다. 물론 너무나 고통스러운 사실이라는 것을 압니다. 그러나 이것이 제일 중요한 지점입니다. 우리가 할 수 있는 일은 관계에서 최선을 다하는 것이지, 관계의 '결과'를 통제하는 것이 아닙니다. 타인은 내가 통제할 수 있는 존재가 아니니까요. 반대로 타인의 감정, 태도를 정답으로 설정하고 자신을 통제하는 일도 경계해야 합니다. 이것 역시 통제욕구에서 비롯되는 행동이며, 서로에게 해로운 영향을 끼칠 확률이 높아요.

관계에서 "그 사람과 헤어지지 않기 위해서라면 무슨 짓이든 할 수 있어."보다는 "나를 제대로 잘 지키기 위해서라면 무엇이든 할 수 있어."가 전제여야 합니다. 갈등이 있을 때마다 무조건 실시간으로 풀어야 하는 것은 아닙니다. 성격에 따라 생각하는 시간을 가질 수도 있고, 갈등을 다루는 일을 유예할 수도 있기는 합니다. 그러나 너무 오랜 시간 동안 '마치 갈등이 없는 것처럼' 아무것도 하지 않아서는 안 됩니다. 관계가 끝나는 것이 두려워 갈등을 계속 부인하다가는 나중에 복리로 이자를 치르게 될 가능성이 높으니까요.

chapter 12

친구 같은 아빠에게 자꾸 불만이 생겨요

“너 혼자 그러고 다닌다고 세상이 바뀌기는 하고?”

“네가 뭐가 부족해서 그러니? 언제 철이 들래. 다 집어치우고 시집이나 가.”

“첼로는 폼으로 배워? 아빠가 너 챙기느라 얼마나 고생인데… 그리고 좋게 말하면 될 일을, 꼭 그렇게 길거리에서 난리를 쳐야 해?”

n번방 사건 강력 처벌 촉구 시위에 다녀온 현이 씨는 그날 이후 가족과 주변 사람들에게 잔소리를 듣고 있다. 현이 씨는 대학에서 첼로를 전공하고 있는데 악기가 큰 탓에 아빠의 도움을 받을 때가 있다. 그날도 아빠 차로 레슨실에 가던 중에 아빠가 우연히 시위 유인물을 보고 딸의 시위 참석을 알게 되었다.

“동생이 언니 첼로 시키느라 엄마 아빠가 얼마나 힘든 줄 아냐고, 부모님 등골 그만 빼먹고 정신 차리라고 하더라고요. 제가 어릴 때부터 음악을 하다 보니 동생보다 부모님의 관심과 지원을 더 많이 받았어요."

현이 씨의 가족은 현이 씨가 뭐가 아쉬워서 그런 시위까지 나가는지 이해하지 못한다. 복에 겨워 저런다고 말하기까지 한다. 그중 엄마가 가장 현이 씨를 이해하지 못한다. 단란하고 화목한 집인데, 딸이 페미니스트가 된다는 건 말이 안 된다고 생각한다.

"네가 아들이 아니라고 우리가 구박을 하기라도 했니? 아빠가 한 번이라도 때리기를 했니 밥상을 엎기라도 했니? 열심히 돈 벌면서도 누구보다 너를 예뻐하고 챙겨준 사람이 아빠 아니니?"

부모님은 함께 가게를 운영하신다. 현이 씨는 엄마보다 아빠와 더 친하다고 느낄 만큼, 아빠가 자신을 살뜰히 챙겨왔다는 것을 안다. 레슨 픽업 등을 자처하며 매니저 역할을 해왔고, 귀가가 늦을 때면 딸들이 걱정되어 늘 골목 앞까지 나가 한참을 기다리곤 했다.

"아빠를 떠올리면 늘 감사하고 애틋한 마음이 들지만… 아빠는 그걸 알까요? 제가 바라는 세상은 딸이 위험할까 봐 아빠가 데리러 나오지 않아도 되는 세상이라는 것을요."

이렇게 딸들에게 다정한 아빠도 엄마에게는 다른 모습

을 보일 때가 많다. 대화할 때 엄마를 고압적으로 찍어 누르거나 무시하고, 모르면 가만히 있으라고 한다. 집안일은 전혀 하지 않는다. 가게일 마치고 똑같이 집에 와도 엄마는 헐레벌떡 저녁 준비를 하고 아빠는 쉬고 있다.

"저한테는 너무 좋은 아빠인데, 그런 모습을 볼 때마다 마음이 불편해요. 정작 엄마는 별다른 불만이 없어 보이고 당연하게 생각하는 것 같은데 저만 감정이 복잡 미묘하고…."

현이 씨는 세상의 변화에 도움이 되고 싶다는 마음을 가지면서도, 아빠에게 배은망덕한 딸인 것 같은 기분에 마음이 불편하다. 자신의 학교 단과대 여자 화장실에서 몰래카메라가 발견되었다는 소식이 들릴 때면, 정말 세상이 바뀌기는 할까, 자신이 쓸데없는 짓을 하고 있는 건 아닐까, 진짜 부모님 말대로 계란으로 바위 치는 것 아닐까 하는 생각에 무력감도 함께 든다.

"아무리 시위에 참석하고 목청껏 외쳐도 세상이 들어주기나 할까요. 어떨 땐 다 때려치우고 싶어요."

나는 정말 불만투성이인가?

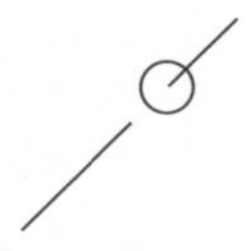

성차별주의에는 적대적(hostile) 시각뿐만 아니라 온정적(benevolent) 시각도 함께 존재합니다.[22] 온정적 시각에서는 여성이 일정한 역할 안에 머물러만 있다면 서로 얼굴 붉힐 일 없이 평화로워 보일 수 있습니다. 어쩌면 현이 씨와 아버지의 관계는 온정적 틀 안에 있어왔던 것인지 모릅니다. 현이 씨는 밖에서 겪거나 목격하는 여러 일들, 그리고 아버지가 어머니를 대하는 태도에서는 적대적 시각을 느낍니다. 반면, 자신을 대하는 아버지의 모습에서는 온정적 시각을 느낍니다. 이렇게 자신에게 진심 어린 태도와 애정을 보여주는 사람을 향해 부정적인 감정이 올라올 때 개인은 혼란에 빠집니다.

양육자의 생각에 충분히 동의하지 않는 것이, 양육자가 베풀었던 사랑까지 다 부정한다는 의미는 아니에요. 그러나 현이 씨의 부모님은 그 둘을 연결시켜서 생각하는 것 같네요. 현이 씨 안에 불만이 존재한다는 사실이, 마치 자신들이 부족했다는 증거이기라도 한 것처럼 말이죠. 현이 씨도 부모님 의견을 때로는 자신의 진짜 마음과 혼동하며 '내가 진짜 배은망덕한 사람인가?' 하고 괴로워합니다. 그 누구도 이기적이거나 배은망덕한 사람이 되고 싶지 않습니다. 그래서 부모님은 다그치고, 현이 씨는 항변하는 것이죠.

왜 누군가는 페미니즘에 눈을 뜨고, 누군가는 그렇지 않는지는 사람 수만큼이나 다양한 이유와 맥락이 존재합니다. 각자의 타고난 기질과 환경의 복잡한 상호작용이죠. 가혹한 환경과 문제의식의 정도가 꼭 비례하는 것도 아닙니다. 만약, 나머지 가족 구성원과는 다른 자신만의 고유한 생각을 가질 기회조차 제거된 환경이라면, (문제의식이 없다는 게 잘못이라는 의미는 아니지만) 문제의식을 갖는 게 불가능할 수도 있습니다. 현이 씨는 가족들과 다른 자신만의 생각을 가지고 그 생각을 밀고 나가고 있는데, 그건 자기 생각을 키우는 일이 가능했던 집안 분위기도 한몫했을 거예요.

나를 조종하는 죄책감

누군가가 베푼 친절이 고맙다고 해서 우리가 꼭 그 사람이 원하는 방식으로 보답할 의무는 없습니다. 현이 씨는 문제의식을 가지는 게 그동안 자신들이 쏟은 애정을 배반하는 일이라고 여기는 부모님에게 자기도 모르게 동조하지 않는 것이 중요합니다. 부모님이 그렇게 의미 부여를 했다고 해서 정말 그런 의미인 것은 아니니까요. 헷갈리지 않는 게 중요합니다. 부모님에게 받았던 애정은 그것대로 고마운 것이지만, 자신이 목격한 부당한 것들에 대해서는 정확하게 인지할 필요가 있습니다. 애정이 담긴 행위에도 문제 요소는 있기도 하고요.

다른 사람의 애정과 인간적인 모습은 왜곡하지 않고 마음 안에 간직하면 됩니다. 사랑한다고 모든 것을 용서해야 하는 것도 아니고, 반대로 인간적 면모가 있다는 사실까지 전부 부정해야 하는 것도 아닙니다. '아빠는 사실 따뜻한 사람인데 너무 나쁘게만 보는 건가?'라는 생각도 죄책감을 불러일으키지만, '아빠가 해준 게 뭐가 있다고!'라면서 누군가의 수고를 통째로 부정하는 마음 역시 결국 나에게 누군가를 미워한다는 죄책감을 불러올 수밖에 없습니다.

지금까지 죄책감이라는 단어가 많이 등장했는데요. 우리가 죄책감을 느끼는 건 실제 죄의 여부와는 전혀 상관이 없습니다. 죄책감은 명시적인 명령이나 억압보다 훨씬 더 효과적이면서 은밀하게 사람을 조종하기 때문에, 이 감정을 잘 살펴보는 작업이 반드시 필요합니다. 상대가 의도적으로 죄책감을 유발했는지 여부는 중요하지 않습니다.

물론 죄책감은 우리가 일정 수준의 도덕성을 유지하고, 타인에게 피해를 주지 않게 하고, 사회에 기여할 수 있도록 돕습니다. 그러나 그것은 합당한 죄책감인 경우이지요. 실제로는 가지지 않아도 되는 죄책감이 우리를 움직이게 그냥 둔다면 삶은 계속해서 제한당할 것입니다. 하지 않아도 되는 희생과 불필요한 자기 처벌, 그리고 그것에 대한 새로운 분노가 반복될 가능성이 높습니다.

우리는 태어나면서부터 오랫동안 양육자의 영향을 받습니다. 양육자에게도 실망스러운 면이 있다는 걸 인정하는 일은 아이에게 정말 어려운 일입니다. 양육자에게 안전하게 보호받지 못하다는 느낌을 견디기 힘들기 때문입니다. 겉으로는 부모님이 잘못됐고, 싫고, 너무한다고 말해도 마음속 깊은 곳에서는 자신이 나쁜 아이일지 모른다는 무의식적 느낌이 들 수 있습니다. 정신분석학자 로널드 페어베언(Ronald

Fairbairn)은 고통을 주는 부모의 측면을 바라보기 어려운 마음에 대해 이렇게 말한 적이 있습니다. "악마가 지배하는 세상에서 사는 것보다는, 하나님이 지배하는 세상에서 죄인인 편이 낫다."

많은 사람들이 당연하게 여겨온, 자연스러워 보이는 전제에 대한 의구심과 부당하다는 느낌 뒤에는 무언가를 거스른다는 두려움이 따라옵니다. 이는 이성적으로 옳다고 확신하는 것과는 별개의 감정인데요. 옳다고 믿는 생각이 큰 흐름을 방해하는 위험한 것이라는 감정이 따라옵니다. 그러니 마음이 결코 편할 수 없지요. 마음 안에 이런 경로가 존재한다는 것을 이해해야, 그 마음에 지배당할 확률을 줄일 수 있습니다. 스스로를 마치 위험한 사람처럼 느끼는 그 마음을 잘 소화시켜야 합니다.

자신이 취약한 부분도 있지만 힘도 가졌으며, 때때로 분노도 느끼지만 그렇다고 진짜로 파괴적인 사람이 아니라는 확신을 가지세요. 자신이 누군가를 불편하게 하고, 귀찮게 하고, 분노하게 만들 수는 있으나 진정으로 불행하게 하거나 나쁘게 만들고 싶어 하는 사람이 아니라고 스스로에게 계속 말해주면 좋겠습니다. 이 과정이 잘되지 않고 무언가 마음에 걸리는 부분이 생긴다면, 그 불편함을 중요한 주제로 삼아

시간을 가지고 들여다보았으면 합니다.

가혹한 가족 안에서 살아가기

가혹함의 정도를 단순 비교할 수는 없는 일이지만, 너무 끔찍해서 책에 싣기 어려울 만큼 억압적이고 폭력적인 가정 환경에 놓인 사람도 많습니다. 만약 그런 상황에 있다면 일단은 자신의 안전과 생존을 도모하는 일이 가장 중요합니다. 그것보다 중요한 것은 아무것도 없습니다. 자신의 피해를 최소화하는 것만으로도 대단히 어려운 목표를 달성한 셈입니다. 피해를 최소화하는 과정이 모욕적이거나 비굴하게 보이더라도요. 일단 몸과 마음이 최대한 많이 다치지 않고 잘 살아남아야 그 이후를 생각할 수 있습니다.

이런 상황이라면 자신이 가족에게 받는 대우와 자신의 가치를 혼동할 확률이 높습니다. 에너지가 많이 들겠지만 가족에게 받는 대우와 자신의 가치를 분리하기 위해 계속해서 애쓰기를 부탁하고 싶습니다. 우선 안전을 확보한 뒤 심리적, 경제적, 관계적 자원을 키우기 위해 최선을 다하기를 바라봅니다.

만약 자신의 가치관을 표현할 수 있는 환경이라면 자신이 가진 힘의 한계를 일단 인정했으면 좋겠습니다. 다른 가족 구성원의 생각을 바꾸는 일은 불가능에 가깝습니다. 체념할 필요는 없지만, 그렇다고 설득해야 할 의무가 있는 것도 아닙니다. 만약 설득을 하고 싶다면 에너지와 시간의 한계선을 정해놓고 딱 그만큼만 쓰도록 하세요. 자신이 '하고 싶고 할 수 있는 만큼만' 했으면 합니다. 상대의 변화 여부는 여러분이 컨트롤할 수 없습니다. 여러분이 할 수 있는 것은 오직 자신이 어떤 방식으로 반응할지 결정하는 것뿐입니다.

마지막으로 그들에게 자신에 대해 너무 애써서 해명하려고 하지 마세요. 다른 사람이 나를 오해하고, 이기적이라고 생각하고, 평가절하하는 일은 물론 익숙해지기 어렵습니다. 그러나 나를 이해할 준비가 되어 있지 않은 사람에게 오해 없이 받아들여지려는 노력을 내려놓을수록, 자신은 더 자유로워질 수 있을 것입니다.

성평등은 지금, 기본값인가?

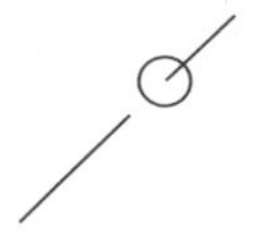

현이 씨처럼 열심히 목소리를 내봤자 세상이 꿈쩍도 안 하는 기분이 들 때가 있습니다. 지치는 마음에 조금이라도 도움이 될 수 있도록 몇 개의 숫자를 제시해보겠습니다.

1870년　　1920년　　1971년

순서대로 보면 미국에서 흑인에게, 미국에서 여성에게, 스위스에서 여성에게 참정권이 주어진 해입니다. 지금으로서는 상상하기 힘들지만, 오랫동안 여성의 참정권은 당연한 권리가 아니었습니다. 이전에는 여성은 판단력이 부족한 데

다가, 남편이 어차피 투표를 하니 굳이 투표권을 가질 필요가 없다는 생각이 당연시되었지요. 어느 시점부터 그나마 '찬반 논쟁'의 주제가 될 수 있었으며, 그 뒤 비로소 여성 참정권이 기본값이 된 시대를 살게 된 것입니다.

하루하루를 놓고 보면 도무지 아무것도 변하지 않는 것 같은 느낌이 들지만, 문제의식을 가진 개인들이 힘을 합쳐 분명히 무언가가 변하긴 했습니다. 새로운 기본값이 만들어진 것입니다. 이 정도에서 만족하라는 의미가 아닙니다. 현실에 대한 실망과 상실감이 잘 다루어지지 않으면, 마지막에는 자기 자신이 가진 힘에 대한 폄하로 이어질 수 있기 때문에 이런 말을 하는 것입니다. 0에서 10으로, 10에서 30으로, 다시 30에서 50으로 조금씩, 하지만 분명히 변화가 일어나고 있음을 인지할수록 현실에서 실망을 하더라도 앞으로 나아갈 힘을 잃지 않을 수 있습니다.

나의 고민에서 우리의 고민으로

우리는 주변 사람의 영향을 많이 받습니다. 자신의 마음 속 깊은 곳에서 희미하게 '뭔가 좀 이상한데?'라는 마음이 피어오를 때 가까운 사람, 또는 미디어 속 인물에게서 결정적인 영감을 얻어 움직이기도 합니다.

그리고 다른 누군가도 여러분에게 영향을 받을 수 있습니다. 그러니 자신의 고민과 생각과 감정과 삶을 어떤 방식으로든 확장시키고 공유해 나가면 좋겠습니다. 출산은 장려하는데 노키즈 존은 왜 늘어만 가는지, 아들이 늦게 들어올 때보다 딸이 늦게 들어올 때 왜 더 불안한지를 궁금해하고 논의해 나갔으면 합니다. 그렇게 나의 작은 고민들이 하나둘 모여 우리의 고민이 되고 사회의 고민이 될 때, 비로소 세상은 변화할 것이기 때문입니다.

1 김은정, 「새로운 생애 발달 단계로서의 성인모색기(Emerging Adulthood): 20대 전반 여대생을 중심으로」, 『사회와 이론』, 이학사, 19(2), 2011, 329~372쪽. ; Jeffrey Arnett, "Emerging Adulthood: A Theory of Development from the Late Teens Through the Twenties", *American Psychologist*, 55(5), 2000, pp. 469~480.

2 김희경, 『이상한 정상가족』, 동아시아, 2017, 10쪽.

3 해리엇 러너, 『무엇이 여자를 분노하게 만드는가』, 이명선 옮김, 부키, 2018, 55~59쪽.

4 카렌 호나이, 『카렌 호나이의 정신분석』, 이희경 옮김, 학지사, 2006, 28~29쪽.

5 수신지, 『며느라기』, 귤프레스, 2018, 206~212쪽.

6 이민경, 『우리에겐 언어가 필요하다』, 봄알람, 2016, 83쪽.

7 최은영, 「당신의 평화」, 『현남 오빠에게』, 다산책방, 2017, 40~73쪽.

8 주디스 조던 외, 『'여성'의 자아』, 이주연 옮김, 한울 아카데미, 2018, 45~46쪽.

9 위의 책, 46~47쪽.

10 Tom Wooldridge, "Finding Freedom: Exploring the Relationship Between Agency, Motility, and Aggression", *Journal of the American Psychoanalytic Association*, 66(1), 2018, pp. 41~58.

11 김지현, "강남역 사건 후… 2030, 페미니즘 '열공'", 〈한국일보〉, 2017. 05. 18., https://www.hankookilbo.com/News/Read/201705180474006444

12 여성혐오는 'misogyny'의 번역어로서, 그 이름 때문에 여성을 의식(conscious) 수준에서 싫어한다는 뜻으로 오해될 때가 많다. 그러나 여성 비하, 여성 숭배 등 여성을 비자발적이고 도구적인 존재로 대상화하거나 신비화하는 모든 의식적, 무의식적 활동을 의미한다.

13 "Feminist Philosophy", *Stanford Encyclopedia of Philosophy*, https://plato.stanford.edu/entries/feminist-philosophy/

14 송혜진, "상처엔 시간 필요 梨花를 믿습니다", 〈조선일보〉, 2017. 07. 08., https://www.chosun.com/site/data/html_dir/2017/07/07/2017070701613.html.

15 박선영, "저커버그는 되고, 메르켈은 안 되는 '단벌패션'의 정치학", 〈한국일보〉, 2016.1.29., https://www.hankookilbo.com/News/Read/201601290481552604 ; 박현주, "'화장 안하면 마스크 벗긴다' 인천 피부과 병원의 갑질", 〈중앙일보〉, 2020.8.9., https://news.joins.com/article/23844248.

16 이민경, 『탈코르셋: 도래한 상상』, 한겨레출판, 2019, 73쪽.

17 Muriel Dimen, *Sexuality, Intimacy, Power*, Routledge, 2003, p.179.

18 김현효, 「한국어와 영어 성별어 비교연구」, 『한국산학기술학회논문지』, 16(10), 2015, 6527~6533쪽

19 이민경, 『탈코르셋: 도래한 상상』, 한겨레출판, 2019, 215쪽.

20 Carolyn Grey, "Culture, Character, and the Analytic Engagement-Toward a Subversive Psychoanalysis", *Contemporary Psychoanalysis*, 29(3), 1993, pp. 487~502. ; Jean Petrucelli , "Introduction: Can We Live and Work Securely in Our Bodies? It's Time to Talk", *Contemporary Psychoanalysis*, 54(4), 2018, pp. 621~633.

21 성윤희, 정주리, 「가부장적 가정환경이 남성의 우울에 미치는 영향」, 『아시아교육연구』, 20(2), 2019, 547~567쪽.

22 심미혜, Yu Mi Endo, 「한국인의 성역할고정관념과 성차별의식 및 군복무에 대한 태도」, 『한국심리학회지』, 18(3), 2013, 365~385쪽. ; Peter Glick and Susan Fiske, "The Ambivalent Sexism Inventory: Differentiating Hostile and Benovolent Sexism", *Journal of Personality and Social Psychology*, 70, 1996, pp. 491~512.

자꾸만 나를 잃어가는 것처럼 느껴질 때
여자들을 위한 심리학

초판 1쇄 발행 2021년 4월 21일
초판 2쇄 발행 2021년 5월 27일

지은이 반유화
펴낸이 김선식

경영총괄 김은영
책임편집 임소연 **디자인** 황정민 **크로스교정** 조세현 **책임마케터** 최혜령
콘텐츠사업4팀장 김대한 **콘텐츠사업4팀** 황정민, 임소연, 박혜원, 옥다애
마케팅본부장 이주화 **마케팅1팀** 최혜령, 박지수, 오서영
미디어홍보본부장 정명찬 **홍보팀** 안지혜, 김재선, 이소영, 김은지, 박재연
뉴미디어팀 김선욱, 허지호, 염아라, 김혜원, 이수인, 임유나, 배한진, 석찬미
저작권팀 한승빈, 김재원
경영관리본부 허대우, 하미선, 박상민, 권송이, 김민아, 윤이경, 이소희, 이우철, 김혜진, 김재경, 최완규, 이지우
외부스태프 **북에디팅** 방미희

펴낸곳 다산북스 **출판등록** 2005년 12월 23일 제313-2005-00277호
주소 경기도 파주시 회동길 490 다산북스 파주사옥 3층
전화 02-702-1724 **팩스** 02-703-2219 **이메일** dasanbooks@dasanbooks.com
홈페이지 www.dasanbooks.com **블로그** blog.naver.com/dasan_books
종이·출력·제본 갑우문화사

ISBN 979-11-306-3714-3 (03180)